*« Maurice, la ci-devant île de France »,
selon un terme employé en 1721.*

*Cette copie du célèbre tableau du peintre hollandais
Savery se trouve au musée de Port Louis.*

*Dodo (le nom viendrait du mot portugais doudo ou doodoor
qui veut dire stupide !)... Didus ineptus... Dronte...Dodor...
Dodaer ! C'est un gros oiseau qui ne pouvait s'envoler.
Il ne put donc échapper aux ennemis qui vinrent avec
la colonisation : les hommes... les porcs. Il n'était même
pas bon à manger et périt, victime du nouvel environnement.
C'est au cours du siècle dernier, en 1865, que le naturaliste
Clark découvrit ses ossements, à la Mare aux Songes,
dans le sud-est de l'île. Le Dodo qui ne vécut qu'à
l'île Maurice, figure sur les armoiries de l'île. Il avait
un cousin fort différent, le Dodo blanc de la Réunion,
disparu également.*

Gravure de la couverture : *Combat de la Vénus et du Ceylan. Décembre 1810 (Collection de l'auteur).*

Philippe Lenoir

ILE MAURICE
ancienne isle de france

réalisé par Raymond Schall

mis en page par Jean-Pierre Bühler
illustré par André Chastel, Philippe Schall,
Raymond Montocchio, Alain Labat Rochecouste,
Albéric Guernon, André Petron,
L. Rivaltz Chevreau de Montlehu, Docteur Sanft.

Editions du Cygne

préface

par *EDMOND POGNON*
Conservateur en chef honoraire à la Bibliothèque nationale

En 1968, l'île Maurice fut proclamée indépendante. Si j'en avais été citoyen, rien ne m'eût alors semblé plus urgent que de l'appeler autrement. Bien des pays l'avaient fait. L'Afrique voisine était pleine de Malis, de Zaïres, de Zambies, de Tanzanies. Plus proche, Madagascar avait, il est vrai, gardé son nom, mais c'était le sien depuis toujours ; il ne devait rien aux colonisateurs. Tandis que Maurice !

C'est entendu, l'île était déserte quand l'amiral hollandais van Warwyck, en septembre 1598, y abordant par le caprice des vents, la mit tout aussitôt sous le vocable de celui qui était alors le héros de l'indépendance des Provinces Unies, Maurice de Nassau. Il n'y avait pas d'indigènes pour la sentir frustrée de son identité. Mais elle avait déjà porté deux autres noms, et beaucoup plus jolis, sur les cartes : Dinarobin sur celles des Arabes ; Cirné, qui veut dire Cygne, sur les portulans des Portugais. Maurice - Mauritius, pour parler comme l'amiral -, c'était bien le nom colonialiste de l'île.

Ajoutez que, des nombreuses îles de l'Océan Indien où ils surent s'établir, les Hollandais n'ont pas traité celle-là en préférée, c'est le moins qu'on puisse dire ; et qu'ils l'ont abandonnée pour la deuxième fois en 1710 sans y laisser beaucoup de traces de leur séjour.

Les Français qui, eux, en ont fait ce qu'elle est lui avaient ôté ce nom qui n'avait plus la moindre raison d'être. Alors, quand il fallut, malgré elle, la céder aux Anglais, je comprends, hélas, qu'elle n'ait pu continuer à s'appeler l'île de France, mais pourquoi diable l'avoir rendue au parrainage de Maurice de Nassau ?

Oui, cette accession à l'indépendance, c'était une belle occasion de repêcher dans un passé vierge Dinarobin ou Cirné...

Occasion manquée. N'en parlons plus. Mal nommée, Maurice n'en est pas moins belle. Belle comme une île de France, qu'elle n'a d'ailleurs pas cessé d'être. Les Anglais, rendons-leur cette justice, n'ont rien fait pour la dénaturer. Devenus Mauriciens, les habitants n'ont pas eu besoin d'héroïsme pour se garder Français. Leur fidélité à leur langue, à leurs coutumes, à leurs lois même n'en est pas moins méritoire, mais pour une tout autre raison : elle s'est perpétuée dans l'indifférence de la France. Comme d'autres terres que lui avaient conquises quelques pionniers, et que ses gouvernements ont peu peiné à garder, Maurice est ignorée des Français. Quelques-uns maintenant, poussés par la vogue du tourisme lointain, lui rendent visite. Ils y vont dans le même esprit qu'aux Seychelles ou à Honolulu. Arrivés, ceux qui savent voir découvrent, il est vrai, que ce voyage d'agrément est en même temps, pour des Français, un pèlerinage.

Le livre que voici est fort propre à susciter bon nombre de pèlerinages de ce genre. De tels voyages n'intimident plus comme autrefois, et ne sont plus réservés aux milliardaires. Mais son audience devrait être plus large encore, et sa vocation moins spéciale : par le document et par le rêve, par l'esprit et par le cœur, rendre l'île de France aux Français.

Le parti adopté par ceux qui l'ont conçu et réalisé répond à cette ambition. Ils ont voulu dire beaucoup de choses, tout, si possible, mais nullement sous la forme d'un traité en ordre, avec divisions et subdivisions. Dans la nuit d'ignorance et d'oubli qu'ils s'emploient à dissiper, ils lancent des fusées éclairantes aux trajectoires les plus diverses. La géographie et l'histoire d'abord traversées d'une traînée rapide, l'espace et le temps ainsi illuminés de bout en bout, c'est sur des points particuliers, dont la succession apparemment capricieuse est en fait subtilement concertée, qu'ils dirigent leurs pièces d'artifice. Et ces traits de lumière, conjugués, éclairent à eux tous l'ensemble du paysage, d'un paysage exubérant, significatif, tentateur.

Œuvre immense de François Bertrand Mahé de Labourdonnais, plus étonnante encore d'avoir été accomplie en onze ans à peine, qui, de cette île livrée par les Hollandais à une sauvagerie nullement originale, fait une colonie vivante et prospère, une base militaire et navale assurant dans l'océan Indien la présence de la France. Journées épiques du combat du Grand Port, le dernier que les Français aient pu livrer aux Anglais à armes presque égales, et que, bien entendu, ils ont gagné. Précisions utiles et nécessaires sur les meubles et surtout les porcelaines acheminées sous le pavillon de la Compagnie des Indes, à laquelle l'île de France servit longtemps d'escale et d'entrepôt. Ample évocation de Bernardin de Saint-Pierre, dont le fameux roman n'est pas le seul lien qui le rattache à ces rivages. Et le Sega, cette danse venue du fond des âges sans rien perdre de sa lascivité... Ce ne sont là que quelques-uns des trente-deux ou trente-trois aspects de l'île Maurice que, les uns après les autres, reflète avec un égal bonheur ce livre étonnant.

L'écriture de Philippe Lenoir est si communicative que, rien qu'avec le texte, on verrait, on sentirait, on entendrait l'île. Mais naturellement, il y a aussi les images. Les admirables photos que Raymond Schall a choisies, et qu'il nous offre en une mise en pages d'une fastueuse simplicité. Mieux elles nous donnent l'illusion d' « y être », plus elles nous inspirent le désir d'y aller. La plénitude engendre pour cette fois l'insatisfaction...

Mais il faut rester sage et, pour l'instant, savourer ce livre en réservant les projets de voyage. Pofiter du calme du lecteur assis pour méditer sur la substance de ces pages. Alors des questions se lèvent, et peut-être graves. Par exemple, les injustes prisons de Labourdonnais font penser à l'exécution non moins inique, quelques années plus tard, de Lally-Tollendal, et aussi, plus haut dans le temps, à l'arrestation de Christophe Colomb lors de son troisième séjour aux « Indes orientales ». Dans les trois cas, certes, l'explication s'appelle rivalité, envie, calomnie. Mais quelle scandaleuse fatalité condamne ainsi des hommes qui ont su implanter le pouvoir de leur maître ou de leur patrie dans les terres les plus lointaines à endurer l'incompréhension et les persécutions de ceux qui les ont regardés partir...

Il se trouvera peut-être des gens pour prétendre confirmée par ces malheurs leur idée que toute colonisation est maudite. A voir vivre l'île Maurice depuis trois siècles, c'est le contraire qui est évident. Le jardin des Pamplemousses, les plantations de canne à sucre, sans parler du palais du Gouvernement ou du « Réduit », mais sans taire le dévelopement démographique multicolore et continu, sont là pour montrer que la colonisation fut plutôt pour la déserte Dinarobin une bénédiction, du moins depuis que les Français s'en sont chargés.

Le temps en est passé. Ainsi l'exige aujourd'hui le respect de la dignité des peuples, et sans doute aussi l'intérêt des colonisateurs. L'île Maurice reste, il est vrai, dans le Commonwealth, mais elle est indépendante. Ce n'est pas ce qu'a voulu être sa voisine, l'île Bourbon, je veux dire de la Réunion. Elle demeure département français et, s'il faut en croire la plupart de ses habitants, s'en trouve bien. Telle est la conséquence de ce traité de 1815 par lequel, comme le remarquait Louis XVIII mal placé pour exiger mieux, les Anglais « prenaient le port et lui laissaient le volcan ».

On peut aussi chercher à savoir pourquoi Bernardin de Saint-Pierre a choisi l'île de France pour y faire vivre et mourir Paul et Virginie ; ou encore, moins bonnement, pourquoi ce roman connut un pareil succès...

Et il y aurait les questions actuelles, les questions d'avenir, sur quoi ce beau livre ouvre des perspectives propres à exercer nos spécialistes en géographie humaine.

Tout à fait par hasard, mais par un hasard très opportun, j'ai fait voici trois jours à peine la connaissance d'une Française qui a des biens dans l'île Maurice, et y a beaucoup vécu. Je lui ai demandé, naturellement, ce qu'elle souhaitait que je dise dans ma préface. Elle m'a répondu : « Dites que c'est le Paradis ». Il n'est que temps de vous laisser découvrir ce paradis.

EDMOND POGNON
Conservateur en chef honoraire à la Bibliothèque Nationale.

introduction

La beauté des îles évoque celle des jolies femmes. Elle vous éblouit d'emblée ! Quand on en découvre ensuite les imperfections... on leur trouve des charmes qui les rendent plus adorables encore. Il est trop tard pour ne pas aimer cette femme. Ou cette île... On ne l'oubliera jamais.

L'Ile Maurice ne possède pas seulement des plages et des lagons. Des montagnes étranges... Des fleurs et des fruits tropicaux... Des arbres indigènes et des oiseaux rares. Beaucoup de soleil ! Elle connaît aussi parfois la fureur des éléments et l'étreinte redoutable des cyclones. Querelles d'amants dont le temps efface rapidement les traces dans une passion renouvelée. Et la vague lourde de sable et des algues remuées par les tempêtes étale sa transparence au bord des plages incomparables. L'Ile redevient vite et pour longtemps ce « Jardin qu'un Dieu sans doute a posé sur les eaux » tel que l'aima et la peignit le poète Paul Jean Toulet qui naquit à l'île Maurice.

Jardin épargné des rigueurs extrêmes d'un climat tropical dont l'été fait oublier les frimas de l'Europe. Il fait bon d'y rêver au passé d'une île dont l'hstoire déborde les étroites dimensions géographiques pour associer trois continents au présent comme à l'avenir.

Point minuscule sur les anciens portulans, longtemps délaissée par les marins avant de susciter les convoitises des colonisateurs, elle rayonne à nouveau aujourd'hui sur les cartes que déplient les stratèges. N'est-elle point encore l'Etoile et la Clé de cette Mer des Indes qui fut longtemps l'enjeu des conflits entre les puissances coloniales ? Mais quels que soient les enjeux stratégiques, l'île demeure toujours la Perle Sucrée de l'Océan Indien dont parlait Conrad. Son destin est lié au sucre, au soleil et à la mer comme celui d'autres pays l'est au pétrole ou au blé. L'Ile Maurice est un paradis touristique peu encombré. Les alizés dans leur course lointaine ont soufflé sur des milliers de kilomètres d'un océan vierge de toute pollution. Les fumées industrielles ne s'amoncellent pas ici en monstrueux orages aussi redoutables pour l'homme que pour la nature.

Il n'y a pas seulement le soleil et la mer. L'île Maurice récemment encore britannique, c'est aussi l'ancienne Isle de France, Mauritius qu'abandonnèrent les Hollandais... l'Ilda do Cirné ou l'île du Cygne des Portugais. Et plus loin dans le temps, la Dinarobin des navigateurs arabes.

géographie et climat

Carte et textes extraits de la Cinquième partie du Grand Atlas *du cartographe hollandais J. Jeanson publié à Amsterdam en 1650 quelque 65 ans avant l'arrivée des Français.*

Atlas très rare en cinq volumes. Collection Louis de Longevialle

Iſle do Cerne ou de Maurice.

L'*Isle do Cerne*, autrement appellée l'*Iſle de Maurice* par les *Hollandois*, s'eſloigne de 21 degr. du coſté du Sud de la Ligne, & a 15 lieües enſon circuit. Elle n'eſt pas habitée, & peut eſtre ne l'a jamais eſté, comme on peut aiſement conjecturer des oyſeaux, qui y ſont ſi privé, qu'ils ſe laiſſent prendre avec la main. Son aſſiette s'eſleve par deſſus la Mer avec des grandes montagnes, qui ſont la plus part du temps couvertes de nuées, & de brouillards. Le terroir eſt fort pierreux, quoy que les montagnes auſſi bien que les vallées ſoient remplies d'arbres ſauvages, & donnent un certain teſmoignage de ſa fertilité. Il y a force Palmites, & Palmiers. Les Palmites croiſſent comme les arbres de Cocos, ayants le ſommet ſemblable à un pennache, qui eſtant coupé donne une poulpe, laquelle on en oſte, & mange ou crue, ou appreſtée comme une ſalade, ou bien cuite comme un navet. Car elle a la couleur, & le gouſt d'un navet, & laſche en quelque façon le ventre. Cette Iſle eſt auſſi fort peuplée d'Ebenes, ſi beaux & ſi excellents, qu'on en peut trouver. Ce bois eſt noir comme poix, & uny comme l'yvoire poly: l'arbre eſt couvert d'une eſcorce verte. Il y d'autres arbres qui ſont rouges en perfection, ou bien jaunes comme cire. Les feuilles des Palmiers y ſont ſi grandes qu'un homme peut demeurer deſſous à couvert de la pluye, & quand on y fait un trou, il en ſort du vin agreable & doux: mais quand on le garde 3 ou 4 jours, il devient aigre; & pour ce ſujet on le nomme vin de Palmier, ou vin de Palmites. On n'y a point apperceu de beſtes ſauvages, mais bien trouvé une multitude incroiable d'oyſeaux. Il s'y trouve force pigeons, tourterelles, herons, & oyes ſauvages, qui n'y ſont toutesfois en grand nombre. L'on y void auſſi une autre eſpece d'oyſeaux, auſſi grands qu'un cygne, qui ont une grande teſte couverte d'une peau ſemblable à un petit capuchon, & trois ou quatre petites plumes noires au lieu d'aiſles, comme auſſi quatre ou cincq plumes creſpées au lieu de queuë. Leur couleur eſt griſatre, leur eſtomac, & leur poictrine donne une viande fort aggreable, mais le reſte demeure dur, & deſaggreable, quoy que l'on le cuiſe long temps. Il y a auſſi des *Rabos Forcados*, ainſi appellez par les *Portugais* à cauſe de leur queuë, faite comme les ciſeaux d'un tailleur: Il y en a ſi grande abondance, qu'on les peut aiſement prendre avec la main, ou les tuer avec un baſton. La Mer voiſine abonde en poiſſons, & principalement en tortues, ſi grandes, & ſi fortes, qu'elles peuvent trainer un homme eſtant debout, ou aſſis ſur la coquille. Le 18 de Septembre l'an 1598 *Wybrand à Warwyck* Vice-Admiral de la Flote commandée par l'Admiral *Iacob Cornellis Neck* aborda cette Iſle avec 5 vaiſſeaux, & jetta l'ancre en ſon Golfe aſſis au coſté du Sud, lequel donne un port fort propre à contenir 50 navires. Au coſté droit de l'entrée il y a 6 Iſles fort petites, avec une eſtenduë ſans profondeur, qui devient quelques fois ſeche; au coſté gauche il y en a une autre, qui manque auſſi de profondeur, de ſorte que le port eſt au milieu. Le dict Amiral, apres que ſes gens ſe furent aſſez rafraichis, en partit le 2 d'Octobre. La *Compagnie des Indes Orientales des Provinces unies* a pour le preſent cette Iſle en ſa puiſſance, & y envoye ſes vaiſſeaux

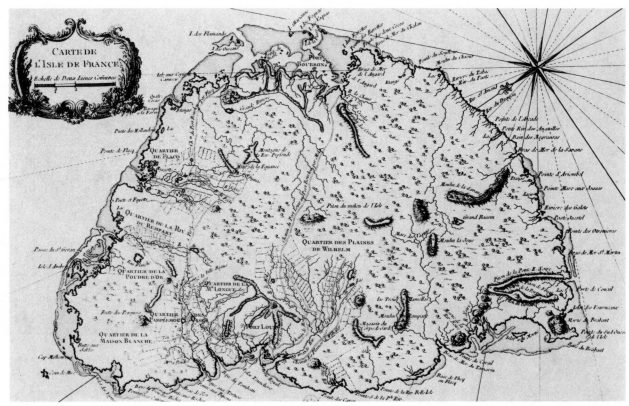

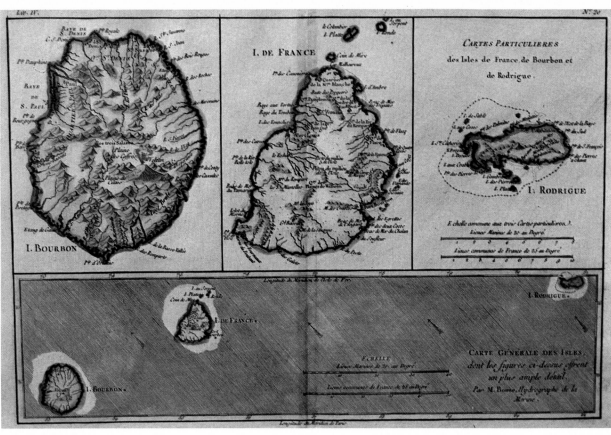

10

*Carte de l'Isle de France.
Le Nord est à l'Ouest! Mais
cela n'explique guère ses
contours particuliers...*

◁

*Carte générale des
Mascareignes exécutée par
Rigobert Bonne, Ingénieur
hydrographe de la marine,
en 1782.*

▽

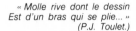

*« Molle rive dont le dessin
Est d'un bras qui se plie... »
(P.J. Toulet.)*

*Premier contact du voyageur
arrivant de l'île de la Réunion
distante de 160 kilomètres.
Plages et lagons
merveilleux du Morne, avec
en arrière-plan l'Ile aux
Bénitiers et les Montagnes
de la Rivière Noire.*

L'île Maurice est située sur le 20e parallèle sud entre 19° 58' et 20° 32' et sur la 58e longitude (57° 18' et 57° 49') à l'est du méridien de Greenwich, juste au nord du Tropique du Capricorne, soit à 2 758 km (1.460 miles) de Nairobi et de Johannesburg et à 5 800 km (3 625 miles) de Perth sur la côte occidentale de l'Australie, 160 km (100 miles) la séparent de l'Ile de la Réunion et 1 100 km (690 miles) de Madagascar, 4 600 km (2.875 miles) de Bombay dans l'Inde.

D'origine volcanique, elle ne compte pas comme la Réunion sa voisine, de volcan en activité. Toutefois on y trouve des cratères éteints (Kanaka, Trou-aux-Cerfs, Bassin Blanc). Sa formation géologique la plus récente varie entre 100 000 et 700 000 mille années et se prolonge dans le tertiaire au-delà de millions d'années! Contrairement à la Réunion qui ne possède qu'un mince périmètre fertile, sauf à certains points du littoral et un massif central montagneux d'une très grande beauté, l'île Maurice, avec ses plaines côtières et un plateau central qui permet la culture extensive de la canne à sucre et du thé, a un relief peu accidenté. Un massif important au sud-ouest (Rivière Noire) se prolongeant vers le sud (Savane), quelques chaînes de montagnes à l'est (Grand Port) et au nord-ouest (Moka) et des pics isolés d'une beauté étrange qu'une hache de géant semble avoir sculptés dans le basalte! Ce qui fit dire à un de nos poètes, philosophe et peintre, que l'île avait connu une race de géants.

Par contre, sur presque toute la côte, une merveilleuse ceinture de plages que ferme un lagon aux eaux transparentes. Paradis de l'amateur de sports nautiques et de l'exploration sous-marine.

Les mois les plus chauds, saison de grosses pluies d'été, janvier à avril, sont aussi ceux des cyclones qui nous visitent parfois et plus particulièrement au cours du premier trimestre. Les mois les plus secs sont octobre et novembre. Les plus froids : juillet, août et septembre. Sur les hauts plateaux en hiver, le thermomètre descend rarement au-dessous de 13° centigrade (55° fahrenheit) la nuit, 18° en été (64° F), tandis que sur la côte on relève respectivement quelque 4 ou 5 degrés de plus. En été la température se situe dans les hauts entre 20 et 28°C (68 à 82° F et entre 23 et 33°C (73 et 90° F) sur la côte. Le degré d'humidité que maintient le régime des alizés, du sud-est, est souvent élevé. Bref un climat presque toujours très agréable sur la côte. Avec beaucoup de soleil! La température de la mer est très égale en toutes saisons. Même au cœur de l'hiver, on ne la trouve guère très froide.

La pluviosité varie selon les régions. 25 à 30 pouces (63 à 75 centimètres) sur certains points de la côte ouest pour atteindre 150 pouces (3,75 mètres) ou davantage au centre de l'île dans la région la plus boisée.

Le crépuscule est très bref dans cette île tropicale. Juin compte le jour le plus court (lever du soleil 06 h 34 et coucher à 05 h 27) et décembre le jour le plus long (lever à 05 h 21 et coucher à 06 h 39).

Les cartographes de jadis étaient aussi des artistes et des poètes ! Et sans doute parce que l'on voyageait moins qu'aujourd'hui, rêvait-on davantage à ces mers lointaines, riches de merveilleux et mortels sortilèges...

Frégate anglaise croisant au large de Port Louis.
(D'après un tableau de F. Mason). Extrait de Sea Fights and Corsairs, de H.C.M. Austen.

Resplendissant dans ses habits pourpre et or de Vice-Roi des Indes... Dom Pedro Mascarenhas a fière allure. (Gravure communiquée par G. de Visdelou Guimbeau)

Carte de Van Langren (1595).

histoire

Une île déserte

L'histoire ne nous dit pas quand les premiers navigateurs arabes abordèrent cette île. Y vinrent-ils souvent ? Tentèrent-ils de s'y établir ? Ils n'en étaient pas loin puisqu'ils étaient déjà sur la côte de Madagascar plusieurs siècles avant l'apparition des Portugais dans l'Océan Indien. Mais on n'a découvert aucune trace du passage des Arabes dans les Mascareignes. Ni armes, ni objets, ni monnaies. Aucune pierre ne porte la marque de leur venue pas plus que de celle des Portugais.

On sait qu'ils connurent ces îles parce qu'ils leur ont laissé des noms. Celui de l'archipel appelé Tirakka (1489) par le voyageur Sulhiman et ceux des îles qui le constituent : Dina Margabin (La Réunion), Dina Moraze (Rodrigues) et Dinarobin (Maurice). Ces noms parurent pour la première fois sur la carte de Cantino (1502) avec l'arrivée des Portugais dans cette région de l'Océan Indien.

On ne peut préciser la date exacte de cette redécouverte. On la situe vers 1510. Un Mauricien, passionné d'histoire et de cartographie, Georges de Visdelou Guimbeau, est l'auteur d'un remarquable ouvrage, *La Découverte des Mascareignes,* qui dissipa bien des équivoques. Ce serait Domingo Fernandez, ou Friz, à bord de la *Santa Maria de Serra* qui redécouvrit l'île qui porta d'abord son nom avant de s'appeler Ilda do Cirné (Ile du Cygne) ou Sirné.

Les changements de noms et d'orthographe des îles, ainsi que l'imagination de certains marins, furent responsables d'autres confusions. C'est sans doute ainsi que naquit une île légendaire longtemps recherchée par des navigateurs à l'est de Madagascar. C'était Joan de Lisboa qui dans l'esprit de certains « formait quadrille avec les trois terres alors bien connues de l'Archipel des Mascareignes ». (M. Guet).

La fulgurante aventure portugaise n'avait débordé qu'accessoirement la longue ligne de conquêtes qui s'étirait le long des côtes d'Afrique et de l'Asie méridionale. Bientôt vinrent les Hollandais.

Comme les Arabes, les Portugais ne laissèrent aucune trace de leur passage dans les Iles Mascareignes, ainsi nommées à cause du navigateur Pero Mascarenhas dont le nom fut d'abord donné à l'île de la Réunion (Ile Mascareigne ou Mascarin) avant de passer à l'archipel. La Réunion découverte en 1512 fut aussi appelée Santa Apollonia car l'on suppose qu'elle le fut le jour de la fête de Sainte Apollonie. La plus petite île de l'archipel, Rodrigues, porte le nom de son découvreur Diogo Rodriguez.

Voilà les îles Mascareignes bien situées sur les cartes. Il y eut certes des confusions de noms, de dates et de faits. La plus importante fut de confondre pendant longtemps l'illustre Pero Mascarenhas qui se couvrit de gloire dans de nombreux combats avant de disparaître dans une tempête au large de Gibraltar, avec Pedro Mascarenhas nommé à la fin d'une brillante

Gravure représentant les occupations des Hollandais dans leur nouvelle colonie. Les tortues géantes, aujourd'hui disparues, transportaient aisément deux soldats en armes...

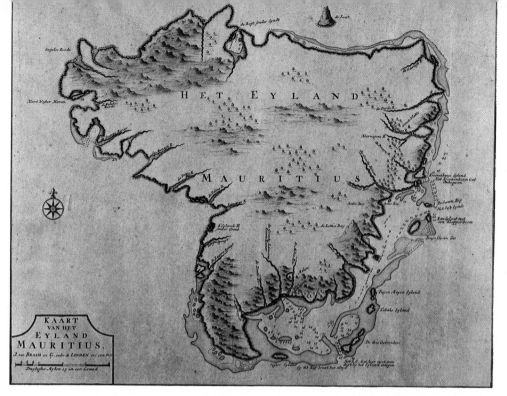

*Carte de J. Van Braam
établie en 1725.
(Collection de l'auteur)*

carrière, vice-roi des Indes. Il avait épousé la fille de Pero dont il était l'oncle en même temps que le gendre !

Teylandt Mauritius : les Hollandais

L'escadre hollandaise de l'amiral Van Warwyck arriva le 17 septembre 1598 et l'île qui s'appelait toujours Sirné devint Mauritius, du nom du Prince Maurice de Nassau. Ce n'était là qu'une partie de l'escadre dispersée par la tempête, en route pour les Indes Orientales qui avait abordé au port sud-est, aujourd'hui Grand Port et auquel on donna le nom de l'amiral. Mauritius pouvait donc être une escale sur la longue route du Cap aux Indes où les Hollandais s'étaient solidement établis. Elle dépendit d'abord de l'établissement de Java puis à partir de 1652, de celui du Cap de Bonne Espérance. Sans trop de bonheur ni de fortune...

La première tentative de colonisation commença en 1638 et l'exploitation des forêts de bois d'ébène dont l'île était largement couverte, en fut un des mobiles principaux. L'île fut abandonnée une première fois en 1658 et reprise en 1664, pour être désertée définitivement par ses premiers colonisateurs en 1710. Treize gouverneurs, dont l'ancien pirate repenti Hugo, se succédèrent rapidement et deux d'entre eux y moururent. Un naufrage célèbre, celui du premier gouverneur général des Indes, Pieter Both en 1615, qui laissa son nom à une curieuse montagne. L'adversité n'épargna guère les colons : cyclones... sécheresses... destruction des récoltes par les éléments et les bêtes... déprédations des noirs marrons, esclaves devenus brigands... Visites des pirates avec qui il fallait faire bon ménage... Exploitation abusive des forêts de plus en plus difficiles à commercialiser... Mésentente et abandon prolongé des colons livrés à leurs maigres

ressources et qui ne semblaient pas d'ailleurs avoir le feu sacré de la colonisation dans de difficiles circonstances. Mais si les ressources étaient faibles, le cœur n'y était pas non plus ! Mauritius ne compta jamais plus que quelques centaines d'habitants. Elle fut abandonnée en 1710 et redevint déserte comme elle l'était jadis.

Plus déserte encore car le dernier Dodo avait disparu de la surface de l'île et du monde ! Les cerfs et les vaches laissés par les Hollandais ne suffirent pas à consoler les naturalistes.

Que laissaient d'autre ces Hollandais qui devaient créer un vaste empire aux Indes Orientales ? Des baraques en pierre et en bois au Port Sud, au Vieux Grand Port et dont les matériaux servirent aux Français quelques années plus tard. Les vieux murs que l'on voit aujourd'hui sont les « ruines hollandaises » ou plutôt franco-hollandaises qui demeurent les plus anciens témoignages du passage des hommes dans cette petite île. Ils laissèrent aussi quelques noms de quartier ou de lieux. Peu de chose vraiment pour ceux qui furent ailleurs de grands colonisateurs.

Mais cette île qui vit essentiellement du sucre leur doit l'introduction de la canne à sucre — et celle des cerfs ! — de Java. Ils s'efforcèrent de tout détruire en partant — habitations, magasins, plantations — et abandonnèrent même leurs chiens pour que ceux-ci devenus sauvages, puissent détruire les animaux en liberté. Ils espéraient ainsi que Mauritius ne tenterait aucun successeur et qu'hormis les pirates qui la fréquentaient, elle n'aurait point pour longtemps encore de nouveaux maîtres.

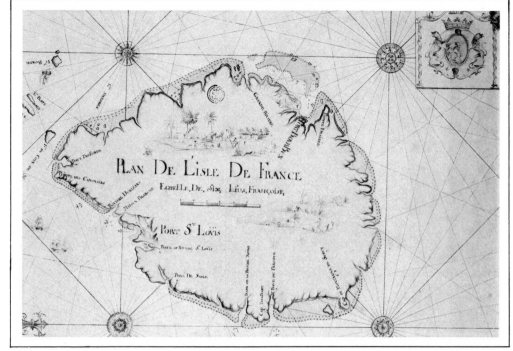

L'Isle de France et scènes
de la vie quotidienne.
Carte éditée en 1735, et
dédiée au ministre Orry.

L'isle de France

D'autres marins relâchèrent dans l'île pendant les années qui suivirent le départ des Hollandais, mais c'est le 20 septembre 1715 que Guillaume Dufresne d'Arsel planta le drapeau fleur delysé sur les rives désertes, au nom du jeune roi qui venait de monter sur le trône de France.

Les véritables débuts de l'Isle de France allaient attendre quelques années encore avec l'arrivée du premier gouverneur, le Chevalier de Nyon, en 1722. Période incertaine et dure des débuts de colonisation. Allait-on replier ce drapeau furieusement agité au souffle des ouragans et qu'un hardi navigateur avait apporté de la France lointaine ? Le destin de l'isle de France hésitait encore. La France était déjà présente à l'île Bourbon où s'étaient repliés en 1674, pour rejoindre quelques colons déjà présents depuis quelques années, les survivants du massacre de Fort Dauphin, sur la côte orientale de Madagascar. Mais l'éloignement de la métropole, les liaisons maritimes rares et incertaines dont dépendaient le ravitaillement, les éléments et la solitude, posaient de redoutables problèmes au fragile établissement de l'isle de France.

Ces hommes et ces femmes venus de Normandie et de Bretagne étaient d'une rude trempe et leur cruel dénuement triompha de l'adversité. Bientôt arriva dans l'île un homme extraordinaire qui avait déjà fait parler de lui dans les comptoirs des Indes : Bertrand François Mahé de La Bourdonnais, gouverneur des îles de France et de Bourbon (1735-1746). Marin, soldat et administrateur, il allait donner les preuves de son génie pendant ces onze années et faire une large place à l'île de France dans la grande aventure coloniale qui allait opposer la France à l'Angleterre pendant trois quarts de siècle marqués de victoires et de défaites, de réalisations remarquables et d'échecs douloureux.

Quand enfin après un long combat, l'île de France capitulerait en 1810, il lui resterait assez de gloire pour qu'un nom, Grand Port, s'inscrive sur l'Arc de Triomphe de l'Etoile à côté des victoires napoléoniennes. Et il lui reste encore assez de souvenirs de cette épopée pour qu'aujourd'hui encore, l'on parle toujours du Grand Empereur qui vit clore les destinées de l'île de France qu'un siècle plus tôt un jeune roi avait vu naître.

En 1767, les deux îles passèrent sous l'administration du Gouvernement Royal et bien peu de gens regrettèrent la Compagnie des Indes, au bord de la faillite, qui en avait la charge. Une nouvelle ère s'ouvrit pour l'île de France avec la fin des monopoles abusifs de la Compagnie. Le premier gouverneur du Roi pour les deux îles fut Dumas et l'intendant général Pierre Poivre dont le rôle fut considérable. L'île de France allait subir des transformations profondes. « Cette colonie est comme le Cap de Bonne Espérance, en quelque sorte une hostellerie placée sur la route des Indes et de la Chine », écrirait plus tard Milbert.

Cinq guerres entre l'arrivée de Labourdonnais et la capitulation de 1810. Elles donnèrent la mesure du rôle que devait jouer l'île de France. Guerre de la Succession d'Autriche qui vit la conquête de Madras sur les Anglais... Guerre de Sept Ans où les victoires anglaises portèrent un coup fatal aux réalisations de Dupleix... Guerre de l'Indépendance Américaine avec la conquête de Pondichéry et les grandes batailles livrées par le bailli de Suffren dans le contexte des nouvelles ambitions françaises dans l'Inde. Guerres de la Révolution et de l'Empire avec l'épopée des corsaires et la destruction de l'escadre anglaise au Grand Port quelques mois avant la capitulation de l'île...

Chaque fois que les hostilités éclataient en Europe et en Amérique, entre la France et l'Angleterre, elles se répercutaient dans cet Océan Indien dont l'Inde était le principal enjeu et l'île de France le point d'escale

Drapeau d'un des derniers régiments français à l'île de France.
(Collection Mlle Klausener)

et de ravitaillement des escadres françaises. C'était aussi la base d'où s'élançaient de nombreux corsaires qui harcelaient le commerce britannique jusqu'aux brasses du Gange.

La guerre et la paix firent s'épanouir de brillantes vocations de soldats, de marins et d'administrateurs. L'île de France vit passer d'illustres navigateurs, des savants, des écrivains et des artistes. Elle vit naître aussi d'un naufrage authentique une idylle imaginaire et immortelle : les amours de Paul et Virginie...

La Révolution qui avait ensanglanté certaines colonies françaises des Antilles, ne fit guère couler de sang à l'île de France à l'exception d'un incident tragique : le comte de Macnamara fut assassiné, mais sa tête promenée au bout d'une pique n'alluma point les passions sanglantes qui dévastèrent la métropole et la guillotine, dressée sur la place, ne fit tomber que la tête d'une chèvre sur laquelle on l'essaya ! Il y eut assurément des comités révolutionnaires, des discours enflammés et des processions ridicules. Mais les réactions des autorités et des colons firent que les choses en restèrent là !

L'abolition de l'esclavage proclamée par la Convention en 1794 allait même provoquer un état de semi-indépendance pendant plusieurs années, à la suite du rembarquement forcé des délégués du Directoire par des colons hostiles au projet. Le Directoire était trop loin pour pouvoir imposer ses volontés qui allaient contre le vœu des colons qui voyaient dans cette mesure la ruine de la colonie. L'esclavage ne serait aboli qu'en 1835 et les colons recevraient une indemnisation.

Il y avait alors sans doute quelque chose de plus préoccupant que l'émancipation des esclaves ; c'était la menace que faisait peser le blocus anglais sur une petite île qui dépendait si largement du ravitaillement extérieur. Et de hardis corsaires tentaient de le forcer dans les meilleures traditions de Saint Malo. Certains y trouvèrent gloire et richesses et ramenèrent dans l'île de précieux approvisionnements et de riches marchandises qui attiraient aussi de nombreux bateaux neutres dont le pavillon couvrait l'exportation des cargaisons revendues.

L'odyssée de l'île de France devait se clore bientôt dans cette même année 1810 qui vit une grande victoire suivie en décembre d'une capitulation fort honorable contre des forces très supérieures. Elle se rendit avec les honneurs de la guerre. Drapeaux au vent et tambours battant...

Elle le méritait bien. Isolée, souvent abandonnée à ses propres ressources, face à un ennemi plus puissant, elle avait livré un combat désespéré qui l'inscrivait à jamais dans la geste héroïque de l'Océan Indien. Labourdonnais... Suffren... Surcouf.. Duperré... Et tant d'autres encore ! Officiers de la Royale ou capitaines corsaires. Soldats des régiments du Roy ou vétérans des combats de la Révolution et de l'Empire... Volontaires du Bataillon de l'Ile de France. Sans oublier ce jeune mousse de 12 ans qui, pendant qu'on lui coupait la jambe sur un pont couvert de morts et de blessés, après la bataille du Grand Port, criait de toutes ses forces : Vive l'Empereur ! Et cet officier d'artillerie qui, blessé sur ses canons, refusait l'armistice et continuait le feu. L'on ne rend pas l'île de France... Mais hélas !

Elle avait associé dans sa gloire et dans ses luttes contre les éléments et les hommes, les représentants les plus divers de la lointaine métropole. Les paysans, les ouvriers, les commerçants, les soldats et les marins.

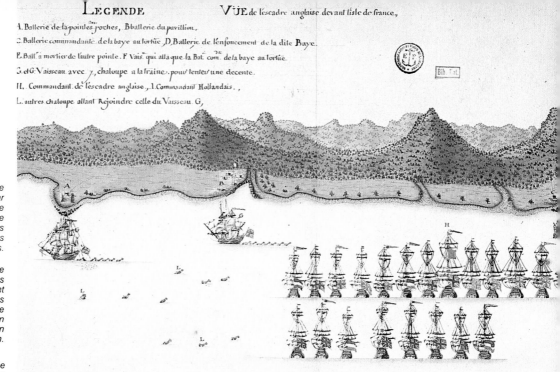

LEGENDE   VUE de l'escadre anglaise devant l'isle de france.

A. Batterie de la pointes roches, B.batterie du pavillon.

C. Batterie commandante de la baye au fortué, D. Batterie de l'enfoncement de la dite Baye.

E. Bat. a mortier de l'autre pointe. F. Vais. qui attaque la Bat. com. de la baye au fortué.

G. et G. Vaisseau avec 7, chaloupe a la traine, pour tenter une decente.

H. Commandant de l'escadre anglaise, I. Commandant Hollandais.

L. autres chaloupe allant Rejoindre celle du Vaisseau G.

La première tentative de conquête de l'île de France fut effectuée par l'Amiral Boscawen en 1748, qui ne fit pas preuve de la même détermination que les défenseurs qui disposaient de moyens fort réduits.

Les vingt vaisseaux de guerre anglais accompagnés des cinq hollandais se laissèrent intimider par les salves des batteries de la courageuse petite garnison. Mais un débarquement en force en aurait eu vite raison.

Vue de l'escadre anglaise devant l'Isle de France

L'aristocrate raffiné et l'humble tâcheron. Des hommes de couleur, esclaves affranchis ou métis, avaient aussi combattu pour elle. Il faut de tout pour faire un monde. Et pour réussir une colonisation dans une île perdue au cœur de l'immense océan.

Et l'île de France se souvient encore. Même si la France l'a parfois oubliée...

Les Anglais

Au traité de Paris qui fut signé en 1814, l'Angleterre conserva l'île Maurice qui avait deux ports naturels et rendit l'île Bonaparte (La Réunion) à la France. Ce qui fit dire à un ministre de Louis Philippe : « *Vous nous laissez le volcan et vous gardez le port !* » L'île Maurice ne possède pas comme sa voisine un volcan en continuelle activité...

L'Angleterre conserva Maurice jusqu'en 1968 quand elle lui acorda une indépendance qui n'avait guère rallié tous les suffrages des Mauriciens. Mais on repliait partout dans le monde cet Union Jack qui avait flotté sur le plus vaste empire de l'Histoire. L'île Maurice indépendante entra dans le club du Commonwealth présidé par Sa Très Gracieuse Majesté la Reine Elizabeth II représentée à Maurice par un Gouverneur Général, tandis qu'un Mauricien de souche hindoue, Sir Seewoosagur Ramgoolam qui avait mené le combat pour l'Indépendance, devenait Premier Ministre.

Après 158 années d'ocupation britannique, l'île Maurice ressemblait largement encore, comme l'avait noté avec humour un voyageur, à une colonie française administrée par les Britanniques. Elle ne le devait pas seulement aux clauses de l'Acte de Capitulation, mais au libéralisme britannique qui succéda assez rapidement à une mentalité de conquérant contre laquelle regimbaient ces colons chatouilleux farouchement attachés à leurs coutumes, à leurs lois et à leur religion. D'ailleurs le Code Civil de Napoléon promulgué en 1809 et le Code Pénal qui date de 1838, sont toujours en vigueur à l'île Maurice, avec quelques amendements.

Jusqu'à l'Indépendance ne jouait-on pas toujours lors de manifestations culturelles et sportives, en présence du Gouverneur — et au grand étonnement des visiteurs français ! — la *Marseillaise* après le *God Save* ? Et parfois même lorsque la situation politique était particulièrement tendue entre les colons et l'administration britannique, la *Marseillaise* seule reprise en chœur vigoureux ! Ce qui amena parfois des incidents...

Les députés du Corps Législatif, élus au suffrage universel, ont, comme leurs prédécesseurs, toute liberté pour s'exprimer en français comme on le fait dans toutes les cours de justice sauf à la Cour Suprême où l'anglais est de rigueur depuis 1847. Un jeune et brillant avocat, Célicourt Antelme prolongea sa plaidoirie ce jour-là jusqu'à minuit devant les juges britanniques impatients et la termina par un vibrant adieu à la langue française...

Il est évident que les structures sociales jouaient en faveur de la langue française. On ne fréquentait guère les Anglais, ces ennemis d'hier qui le seraient peut-être à nouveau demain. Ces derniers se retranchaient d'ailleurs dans le splendide isolement britannique, tout imbus de ce sentiment de supériorité de conquérants heureux et de marchands prospères.

On ne cessait à Maurice de refaire un Waterloo où Grouchy serait arrivé à temps ! Les souvenirs de l'épopée corsaire et du combat du Grand Port étaient pieusement transmis de génération en génération.

Vue du Moulin à Poudre où
l'armée anglaise fit halte
le 30 novembre 1810, au cours
de son avance irrésistible
sur Port Louis.
(J. Temple)

Et ce n'étaient pas seulement les descendants des anciens colons qui étaient sensibles à la réputation d'une France généreuse dont la devise de liberté, de fraternité et d'égalité avait fait le tour du monde. Image qui contrastait avec celle de l'orgueilleuse et perfide Albion ! On oubliait avec chauvinisme les vertus britanniques pour exalter les qualités françaises. Et l'on conservait toujours dure mémoire pour les geôliers de Sainte Hélène. Ces colons ne contraignirent-ils pas Sir Hudson Lowe qui faisait escale à Maurice de se rembarquer sous les huées et les menaces ?

C'est pourtant sous l'égide de l'Angleterre que s'opéra une remarquable transformation politique et économique. L'industrie sucrière longtemps embryonnaire à l'île de France, se développa rapidement pour constituer comme elle l'est toujours, les structures essentielles de l'économie mauricienne. Un instant menacée par l'abolition de l'esclavage en 1835, elle retrouva avec l'immigration des travailleurs hindous libres la main d'œuvre indispensable à son développement. L'arrivée de négociants anglais dont le rôle fut important dans cette initiative, stimula grandement le développement du commerce avec la réouverture du port aux navires étrangers. Certes les colons eurent à lutter pour leurs droits politiques et commerciaux mais quand il s'agit de négoce, notamment pour la réduction des droits d'entrée sur les sucres mauriciens en Angleterre, ils trouvèrent des alliés dans les commerçants anglais.

Si parmi les gouverneurs et hauts fonctionnaires de l'occupation britannique, on trouvait des personnages médiocres ou hostiles aux colons qui furent parfois l'objet de vexations humiliantes, il y en eut aussi de très remarquables. Il n'en manquait pas parmi les Mauriciens et il convient sans doute de citer Adrien d'Epinay dont le nom est étroitement associé aux

avantages politiques et économiques obtenus durant les vingt cinq premières années de l'occupation britannique.

Peu à peu durant cette longue présence, grâce à l'initiative des gouverneurs ou à la pression exercée par les colons, ou tout simplement suivant une évolution favorisée par les hommes et les circonstances, l'île Maurice atteignit un épanouissement politique, économique et social que d'autres colonies britanniques et françaises pouvaient envier. Situation encore plus remarquable dans le contexte d'une diversité de races et de cultures qui avait suscité ailleurs de violents affrontements.

Quel fut le rôle de la France dans cette fidélité touchante pour l'ancienne mère patrie ? Il fut longtemps insignifiant. Elle se contenta largement d'être aimée ! Comme ces femmes très belles qui jugent que l'amour qu'elles inspirent à leurs admirateurs constitue pour ceux-là une récompense suffisante. Le premier consul de France fut nommé en 1839. L'Alliance française démarra sur l'initiative mauricienne en 1884 tandis que l'ambassade n'ouvrit ses portes qu'en 1971. Un mouvement de rétrocession de l'île à la France qui avait servi de plateforme électorale à des députés durant les élections législatives qui suivirent la première guerre mondiale avait échoué et il ne semble guère que la France l'ait moindrement encouragé. L'indifférence, la résignation ou la crainte de mécontenter l'Angleterre, avaient guidé son attitude depuis la conquête.

C'est après la Deuxième Guerre Mondiale, alors qu'un Mauricien qui avait servi avec le Général de Gaulle était consul de France, que l'ancienne métropole manifesta plus de sollicitude pour tous ces Mauriciens d'origines diverses qui l'aimaient avec tant de fidélité. L'Indépendance acquise en 1968 allait faciliter ses

*L'avance de l'armée anglaise
vers Port Louis.
Décembre 1810.
(J. Temple)*

interventions culturelles et économiques et accentuer une bienveillance conjuguée avec l'affirmation de la présence française dans l'Océan Indien. Le soutien de la culture française dans une petite île rejoignant ainsi les intérêts stratégiques que la perte de Madagascar renforçait à l'île de La Réunion.

Il les connaissait bien, ce gouverneur Sir Hubert Jerningham, lorsqu'il écrivait dans le *Times* en octobre 1901 : « L'île Maurice est aussi française qu'elle l'était en 1810, peut être plus ! » Il déplorait qu'on n'eut pas imposé l'enseignement de l'anglais lors de la capitulation de 1810. (Correspondance retrouvée dans les archives du Ministère des Affaires Etrangères, dans le courrier échangé avec le Consul de France à Maurice).

L'île Maurice contemporaine

L'Indépendance qui vit l'ouverture de hauts commissariats et d'ambassades dans la capitale, a suscité de multiples interventions de la part de ces pays déjà présents à l'île Maurice avec les fils de ces immigrés sentimentalement attachés à leur pays d'origine. Les accords économiques et culturels sous formes de prêts, de dons, de bourses d'études et de coopération technique amenèrent un renforcement d'actions d'où la politique est rarement absente.

L'influence anglo-saxonne s'affirmait davantage avec l'installation d'un Haut Commissariat que renforçait culturellement et politiquement une ambassade américaine. L'Inde et le Pakistan dont se réclament deux tiers des Mauriciens ont aussi des Hauts Commissariats très actifs. La Chine communiste s'efforce de s'attirer les sympathies des quelque 30 000 sino-mauriciens très largement orientés vers Taiwan où siégeait Chang Kai Chek. Quant aux Russes qui n'ont ici aucun ressortissant, ils englobent toutes les ethnies mauriciennes dans leur subtile propagande, accompagnée d'accords commerciaux et culturels. Mais ici personne ne parle le russe !

Seule l'Afrique ne réussit pas jusqu'ici de spectaculaire opération culturelle et commerciale, à l'exception dans ce dernier domaine, de l'Afrique du Sud qui pèse d'un poids considérable dans le commerce et le tourisme. Ni l'OCAM et encore moins l'OUA dont l'île Maurice est membre, ne suscitent de chauvinisme parmi les quelque 200 000 Mauriciens d'origine africaine ou malgache.

Ces descendants d'Africains sont beaucoup plus sensibles au rayonnement de la culture française que les immigrés venus de la Grande Péninsule tandis que la communauté sino-mauricienne qui a évolué très rapidement depuis la dernière guerre, est également réceptive aux cultures française et anglo-saxonne. C'est sans doute les études scolaires où l'anglais est le médium général d'enseignement qui oriente professionnellement davantage les jeunes sino-mauriciens vers l'anglais tandis que le français semble avoir leurs préférences littéraires et culturelles.

Quant au patois mauricien, le créole, que parlent tous les Mauriciens, il s'inspire directement du français. Certains voudraient l'élever au rang de langue officielle, ce qui est un non sens et une erreur. Il convient de préciser que cette tentative s'inscrit le plus souvent dans un contexte politique révolutionnaire.

L'Ile Maurice contemporaine est très largement bilingue et ce bilinguisme au cours de la dernière décade a évolué très favorablement vers la langue anglaise. Il faut ajouter que c'est grâce aussi aux lectures de loisirs, aux magazines, aux éditions de poche et aux livres éducatifs souvent moins chers que leurs équivalents français.

C'est le drapeau
national de l'Ile Maurice
depuis 1968.
« *Rouge bleu jaune
et vert
Désormais réunis pour
la gloire d'un peuple
sur le chemin de
la liberté...* »
(André Legallant).

prise de possession de l'isle de france

20 septembre 1715

Il y eut une deuxième prise de possession le 23 septembre 1721 (aucun colon ne s'était établi en 1715) et cette fois ce fut par le démarrage de la colonie C'est Jean Baptiste Garnier du Fougeray (ancien officier du Chasseur) qui fit élever une croix de bois, haute de 30 pieds, à côté du drapeau fleurdelysé, sur le rivage du Port Nord-Ouest , sur laquelle était gravée l'inscription suivante :

« Ne soyez pas étonné de voir la couronne de lys au haut de cette croix sainte, puisque c'est la France elle-même qui a fait élever cette croix. »

Le 20 septembre 1715, Guillaume Dufresne d'Arsel, commandant le Chasseur, mouilla dans cette rade et prit possession de cette île qu'il nomma Isle de France. (1715-1810)

◁

Monument commémorant le 250e anniversaire de l'arrivée des Français, érigé le 20 septembre 1965. Il se trouve au Jardin E. Hart, à Port Louis, face à la mer.

de par le roy..

Nous écuyer, Guillaume Dufresne, capitaine commandant le vaisseau *le Chasseur* et officiers en vertu de la copie de la lettre de Monseigneur le Comte de Pontchartrain, ministre et secrétaire d'Etat à Versailles, le 31 Octobre 1714, qui m'a été fournie a Moka golfe de la mer Rouge par le S. de la Boissière commandant le vaisseau *l'Auguste*, armé par Mrs nos armateurs de St Malo, subrogés dans les droits et privilèges de la Royale compagnie de France du commerce des Indes Orientales, collationnée à l'original audit Moka le 27 Juin 1715, portant ordre de prendre possession de l'isle nommée Mauritius, scituée par 20 degrés de latitude Sud ; et par septante huit degrés trente minutes de longitude, suivant la carte de Pitre Goos, laquelle de (dite) carte prend son premier meridien au milieu de l'isle de Ténérif dont je me sers, en cas que la de (dite) isle ne fust point occupée par aucune puissance, et comme nous sommes pleinement informés tant de la part du sieur Grangemont, capitaine du vaisseau *le Succez* et de ses officiers... à cette isle la septième may dernier et mouillé dans la baye de la Maison-blanche distant du port ou baye ou nous sommes mouillés actuellement d'environ une à deux lieues, nommée par la dite carte des Anglois No. Wt harbour, que cette ditte isle et ilots estaient inhabités, et pour être encore plus informé du fait, j'ay dispersé partie de mon équipage dans tous les endroits qui pourroient être habités, en outre et afin qu'au cas qu'il y eut quelques habitants sur la de (fitte) isle j'ay fait tirer plusieurs coups de canon par distance et différens jours, et après avoir fait toutes les diligences convenables à ce sujet, estant pleinement informé qu'il n'y a personne dans la ditte isle, nous déclarons pour en vertu et l'ordre de Sa Majesté a tous qu'il appartiendra prendre possession de la ditte isle Mauritius et islots, et lui donnons suivant l'intention de Sa Majesté le nom de l'isle de France et y avons arboré le pavillon de Sa Majesté avec copie du présent acte que nous avons fait septuple à l'isle de France ce 20 Septembre 1715 et au... sceau de nos armes fait contresigner par le Sr.. t... t écrivain les jours et an susd(its).

Signé S.A.R... Grangemont de Chapdelaine, Garnier, Litany

Bertrand François Mahé de Labourdonnais (1699-1753), Gouverneur Général des Îles de France et de Bourbon. (Collection du Réduit)

Mahé de Labourdonnais

Rarement la réputation d'une île fut tant associée à celle d'un homme. Non seulement pendant les années (1735-1746) au cours desquelles Mahé de Labourdonnais exerça les pouvoirs de Gouverneur Général des Iles de France et de Bourbon, mais jusqu'aujourd'hui même, au-delà de la conquête anglaise et de l'Indépendance nouvelle. A cette colonie balbutiante, livrée comme l'île Bourbon sa voisine, à ses maigres ressources, tandis que de rudes et rares colons s'acharnaient sans trop d'espoir, à une tâche ingrate, il avait donné un port, une capitale, une industrie et un commerce. En un mot il lui avait donné une âme. Avec Labourdonnais va prendre fin cette période que Marcelle Lagesse appelle « L'enfer de l'île de France » dans l'ouvrage qu'elle lui a consacré (*L'île de France avant Labourdonnais*).

Mahé de Labourdonnais allait aussi faire du Port Louis une place forte d'où il allait porter la guerre dans l'Inde. Battre l'escadre de l'amiral Peyton à Negapatam, sauver Pondichéry et conquérir Madras ! Faire trembler les Anglais tout en suscitant leur admiration... Et la jalousie de ses pairs ! Il savourera la gloire des marins vainqueurs et celle plus modeste, de l'administrateur qui voit réussir son œuvre. Il connaîtra l'amertume de la disgrâce et les prisons de la Bastille. Il en sortira la tête haute et ses ennemis confondus. Mais il mourra peu après et sans être retourné à cette île de France dont il avait conservé tant de souvenirs et que le premier, il avait lancée dans la grande aventure où elle glanerait tant de gloire pendant longtemps encore...

François Bertrand Mahé de Labourdonnais est né à Saint-Malo le 11 février 1699. Dès l'âge de dix ans il entre comme mousse dans la marine marchande. A vingt ans il sert comme lieutenant dans La Compagnie des Indes dont il quitte bientôt le service, pour s'associer à Lenoir, gouverneur de Pondichéry. Il s'enrichit. Bref interlude comme capitaine de vaisseau de la marine portugaise et il fait la chasse aux pirates de la Côte de Malabar. Il regagne Saint-Malo en 1733 et il épouse Anne Marie le Brun de la Franquerie.

Il devait rencontrer bientôt celui qui, après avoir écouté ses projets, lui permettrait de donner la mesure de ses talents de capitaine au service de la Compagnie des Indes. C'était le Contrôleur Général Orry qui le fera nommer gouverneur général des Iles de France et de Bourbon. Il arriva au Port Louis le 4 juin 1735.

Cinq ans d'activité inlassable dans les îles au cours desquels il poursuivra, en dépit des obstacles dressés par les éléments et les hommes, l'exécution de ses plans. On voit même parfois le gouverneur général sur les chantiers, truelle en main comme un simple ouvrier ! Le port et la ville prennent tournure ; l'Hôtel du Gouvernement est terminé en 1736.

Dans sa propriété de Mon Plaisir au quartier des Pamplemousses, il crée vergers, potagers et pâturages pour aider au ravitaillement de la population et des navires en escale. En 1744, les deux premières sucreries démarrent. L'île Bourbon et l'île de France produisent aussi du café, des céréales, de l'indigo et du coton. Labourdonnais fait construire des hauts fourneaux qui travaillent le minerai de fer des Pamplemousses. Des routes sont ouvertes et la chasse aux noirs marrons qui faisaient planer une redoutable menace sur les plantations, augmente la sécurité. Le port connaît de nouvelles activités avec des chantiers de constructions navales. Sous l'énergique impulsion du Gouverneur qui le préside, le Conseil Supérieur de l'île de France proclame des ordonnances qui vont hâter la transformation de la colonie.

Pour stimuler le zèle de ces colons dont il connaît l'attrait pour ce coûteux et lointain vin de France, Labourdonnais décide qu'ils n'en obtiendront qu'en échange de céréales produites sur leurs terres ! Le vin n'est-il pas, avec les femmes, la plus douce convoitise des Français ! Et la motivation d'efforts considérables...

Labourdonnais ne néglige pas d'inviter les colons à des fêtes à l'hôtel du Gouvernement où il tient large table pour les visiteurs de passage au Port Louis. Cet homme extraordinaire sait galvaniser son entourage et son infatigable activité s'exerce dans tous les domaines. Pour triompher de l'indolence et stimuler le zèle de la main d'œuvre, il les fait travailler à l'entreprise et cela lui permet de rapides réalisations, notamment des magasins qu'un de ses prédécesseurs désespérait de bâtir « en autant de temps que la valeur de quatre sièges de Troie ».

Des deuils cruels ne l'empêchent pas de poursuivre son œuvre avec la même détermination. Le 16 février 1738 il perd son fils et quelques mois plus tard l'épouse qu'il adorait. Rentré en France pour un congé en 1740, il doit se défendre contre une cabale montée contre lui auprès des directeurs de la Compagnie. Mais l'œuvre accomplie et le plan qu'il soumet pour de futures opérations dans l'Inde, lui valent le commandement d'une escadre que lui confie le Roi. Il rejoint l'île de France le 14 août 1741.

La dualité de ses fonctions de chef d'escadre nommé par le Roi et celles de gouverneur général des îles pour la Compagnie des Indes à laquelle le Roi avait imposé ses volontés en acceptant les plans de guerre de Labourdonnais, allait provoquer des heurts avec les directeurs plus soucieux de commerce que d'opérations militaires. Les cinq vaisseaux à bord desquels se trouvaient 1 200 marins et 500 soldats appartenaient à la Compagnie. Ces médiocres navires qui tenaient à la fois du commerce et de la guerre en général avaient des équipages médiocres dont Labourdonnais disait que leur vrai métier était de « charger des ballots et de conduire la barque ». Mais cet homme de fer allait en faire des hommes de guerre avec lesquels il ferait une brillante campagne dans l'Inde où la France se taillait un empire.

Encore une fois il allait se heurter à la Compagnie qui se méfie de cet administrateur qu'elle jugeait trop porté à la guerre. De retour à l'île de France cette escadre forgée au combat et prête à de nouvelles interventions car Labourdonnais croyait à la reprise des hostilités, est rappelée en France. L'on verrait bien quand éclaterait la guerre de la Succession d'Autriche, combien l'on regretterait de n'avoir pas écouté le Gouverneur Général. Découragé, il offre à nouveau sa démission qui est refusée comme la première.

La Compagnie rêvait plus de profits que de gloire. Labourdonnais les lui apportait ! Mais elle redoutait pour ses finances un armement d'escadre et se méfiait de cet homme qui voulait l'entraîner dans trop d'aventures. Mais les hostilités éclatent et l'administrateur redevient grand capitaine. Il trouve les moyens d'armer une nouvelle escadre et de remporter de nouveaux triomphes. Victoire navale à Negapatam... Siège et capture de Madras. Hélas Dupleix et Labourdonnais se querellent. Il est rappelé en France et au cours du voyage de retour, il est capturé et libéré par ces Anglais qui l'admirent. Il est enfermé à la Bastille. On lui fait un procès où le nombre de témoins dit l'importance : 200 à 300 ! Il est acquitté des accusations portées contre lui. C'est la réhabilitation. Il meurt peu après à l'âge de 54 ans.

La guerre est souvent l'arbitre suprême du commerce. S'il est futile de s'interroger sur le destin de l'île de France sans Labourdonnais, il est permis de supputer les chances françaises dans l'Inde, si la première escadre de Labourdonnais n'avait pas été renvoyée

en France. Si on ne refait guère l'histoire avec des suppositions, on peut regretter que les courtes vues des politiciens enfermés dans leurs bureaux aux antipodes de l'île de France et de l'Inde l'aient emporté sur les plans d'un homme de génie.

On peut regretter aussi que Labourdonnais n'eut pas fait carrière dans la marine du Roy. La France en aurait gagné davantage que n'eut perdu la Compagnie des Indes, privé des services d'un homme exceptionnel qui avec des moyens de fortune, tiraillé entre ses fonctions d'officier du Roi et de fonctionnaire de la Compagnie, en butte aux tracasseries des colons et à la jalousie de ses pairs, forgea néanmoins les destinées de l'île de France et mena une guerre victorieuse dans un continent lointain, contre un ennemi redoutable qui disposait de forces et de ressources supérieures. Et la postérité eut consacré une gloire peut-être plus proche de celle du bailli de Suffren que de celle d'un administrateur hors pair. Mais l'Histoire... c'est aussi l'histoire des occasions perdues ! !

La querelle avec Dupleix

Deux hommes eurent le mérite des victoires françaises dans l'Inde et à plus longue échéance, malgré leur talent et leur patriotisme, et à cause de leurs querelles, la responsabilité d'événements malheureux. Deux hommes marqués d'un génie particulier et dont la collaboration si elle avait été exempte d'affrontements, eut fermement assuré la primauté de la France dans l'immense continent qui était l'objet de la convoitise de la France et de l'Angleterre. Mahé de Labourdonnais et Dupleix.

Les immenses mérites de Dupleix ne permettent pas d'oublier ses graves défauts dont la jalousie et la médisance n'étaient pas les moindres. Mais c'est l'affaire de Madras qui fit empirer ses relations avec Labourdonnais. Ce dernier qui l'avait conquise et qui avait l'ordre de ne conserver aucun comptoir capturé, la rançonna moyennant la somme de 1.100.000 « pagodes d'or à l'étoile » (neuf millions de livres). Labourdonnais craignait en effet de ne pouvoir la conserver contre la double menace d'une flotte anglaise qu'il avait battue mais non détruite, et d'une attaque terrestre. Dupleix voulait détruire la ville et jugeait que sa capture, la faisait dépendre désormais de Pondichéry. Donc de lui qui en exerçait les fonctions de gouverneur général. Furieux contre Labourdonnais, il forme même le dessin de le faire enlever et de faire casser le traité de rançon ! Et pourtant c'est Dupleix qui lui avait écrit : « *De notre union seule dépend notre force* » et « *Nous attendons de vous le rétablissement de notre honneur et de notre crédit...* ».

L'on peut déplorer à cette occasion comme souvent ailleurs, cette confusion des pouvoirs qui favorise les rivalités des chefs de terre et de mer, car ce n'est qu'en 1781 que l'on établit définitivement la préséance du premier sur le second...

Dupleix qui avait la protection de Madame de Pompadour avait porté de graves accusations contre Labourdonnais, accusé notamment de détournements de fonds et d'intelligence avec l'ennemi ! A ces charges viennent s'ajouter celles de certains colons de l'Ile de France, envieux de Madame de Labourdonnais « couverte de diamants » et « circulant dans un palanquin d'ivoire... »

On sait comment finit le procès. Longtemps après on crut tenir la preuve d'un pot de vin de 100.000 pagodes versé à Labourdonnais après la prise de Madras. Elle se trouverait dans le fameux Law Case Nᵒ 31, à l'India

House à Londres, mais Pierre Crépin, le plus remarquable biographe de Labourdonnais, a démontré les faiblesses de cette accusation.

Roger Glachant dans sa passionnante *Histoire de l'Inde des Français,* écrit qu'il était difficile à Labourdonnais de faire la politique d'un terrien qu'il détestait ! Maintenant que l'aventure indienne est longtemps révolue, qu'il n'en reste plus que de prestigieux souvenirs, l'on serait peut-être tenté, plutôt que d'entretenir cette douloureuse rivalité entre deux hommes illustres, de partager le point de vue de Pierre Poivre, l'intendant du Roi à l'Ile de France :
« Quand on les écoutait, on donnait raison à l'un et à l'autre. »

Dupleix et Labourdonnais... Deux noms inscrits dans l'histoire de la France et de l'Inde coloniale et dont l'écho, au-delà de leurs querelles, avive la nostalgie d'un empire perdu.

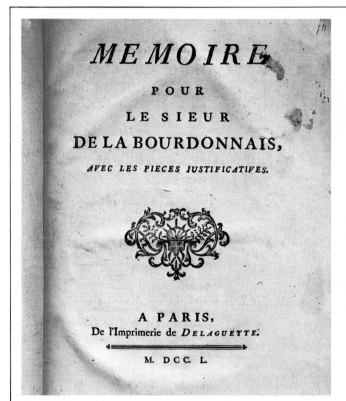

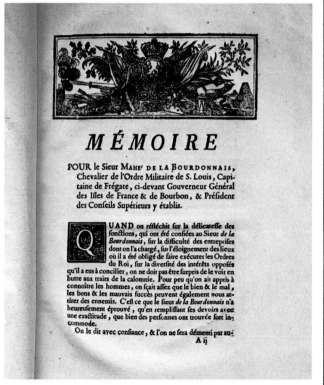

Ce fut au cours de son retour en France où il avait été rappelé que Labourdonnais composa ses Mémoires pour sa défense. Triste destin du plus illustre personnage de l'île de France, il fut emprisonné à la Bastille avant d'être acquitté.

(Collection The Mauritius Commercial Bank)

Le retour de Suffren à l'île de France. Après le tumulte des batailles l'immense rumeur de la gloire... (Tableau de G. Alaux)

le bailli de Suffren

Pierre André de Suffren, troisième fils de Paul de Suffren, marquis de Saint Tropez, est né le 17 juillet 1729, au château de Saint Cannat, en Provence. Garde marine à 14 ans, il vit ses premiers combats contre les Anglais qui le firent prisonnier quatre ans plus tard. En 1748, à la signature de la paix, il part pour Malte où il est fait chevalier de l'Ordre de Saint Jean de Jérusalem. C'est bientôt la guerre de Sept Ans en 1756. Après avoir participé à plusieurs actions navales, il connaît une deuxième et très brève captivité en Angleterre. Capitaine de frégate en 1767, il va opérer pendant quatre ans contre les pirates barbaresques. Il devient Commandeur de l'Ordre de Malte.

La Guerre de l'Indépendance Américaine éclate en 1778 et Suffren se distingue avec l'escadre du Comte d'Estaing. Retour à Brest en février 1781. L'alliance avec la Hollande qui voyait ses riches établissements tomber aux mains des Anglais et qui redoutait aussi une attaque contre leur colonie du Cap, allait sceller le destin de Suffren. Il reçut le commandement d'une escadre de cinq vaisseaux accompagnant un convoi pour le Cap de Bonne Espérance.

Le 16 avril il surprend l'escadre de l'amiral Johnstone dans la baie de la Praya : cinq vaisseaux, trois frégates, des corvettes et de nombreux transports y faisaient escale avant de se porter à l'attaque du Cap, mais ces forces supérieures n'arrêtent pas le bouillant Commandeur qui les attaque hardiment ! Action confuse et violente où il se plaint déjà de n'être pas bien secondé. Il s'en dégage mais les Anglais, intimidés, après un simulacre d'appareillage pour un nouveau combat, restent dans la baie. L'escadre de Suffren a souffert, mais cette action audacieuse a sauvé le Cap. Elle avait donné la mesure de l'homme qui allait faire trembler l'Angleterre dans les Indes.

Arrivé à l'île de France au début de novembre, Suffren vient y renforcer l'escadre du Comte d'Orves qui compte désormais douze vaisseaux, trois frégates et trois corvettes, ainsi que des transports de troupe. L'escadre appareille pour l'Inde le 7 décembre 1781. D'Orves meurt en mer et Suffren devient commandant en chef. Une lourde tâche l'attend dans la Grande Péninsule où les Français ont tout perdu. Qu'il est loin le temps où Labourdonnais et Dupleix avaient taillé un empire à la France. Il n'en reste plus rien. Après Pondichéry, Mahé dernière terre française, avait succombé en mars 1779.

Comme toujours, pareils à eux-mêmes sous toutes les latitudes, selon les termes d'un historien, les Anglais avaient devancé la déclaration de guerre... Déjà maîtres de nombreuses possessions hollandaises, ils s'étaient emparés des navires et des comptoirs français. Il ne leur reste qu'un seul ennemi : Hayder Ali, l'implacable sultan de Mysore, « *le prince le plus étonnant qui ait jamais paru en Asie* ». Cet ennemi mortel des Anglais possède une armée redoutable avec des instructeurs français. Il écrase ses ennemis héréditaires les Mahrattes, conquiert le Carnatic, bouscule l'armée anglaise qu'il refoule dans Madras et Gondelour. Plus tard, après les premiers combats quand il apprend l'arrivée de Suffren, il s'écrie : « *Enfin les Anglais ont trouvé leur maître. Voilà celui qui m'aidera à les exterminer ! Ensemble nous ferons de grandes choses et l'Inde sera sauvée.. »*

Les Anglais ont de fortes troupes aguerries et bien commandées. Des alliés puissants et nombreux. Tous les ports sont entre leurs mains. Une flotte puissante commandée par un chef valeureux, l'amiral Hughes. Des vaisseaux doublés en cuivre et à la marche rapide, montés par des équipages dressés par une discipline de fer.

Et Suffren ? Ses douze vaisseaux et ses trois frégates sont de valeur inégale : leurs coques de bois non doublées de cuivre, vont souffrir cruellement de la mer tropicale... L'éloignement de l'île de France, et de la France, d'où viennent les ravitaillements en hommes, en matériel et en vivres, se fera cruellement sentir. Pas un port où s'abriter, où radouber, à l'exception de havres de fortunes. Suffren est livré à ses seules ressources.

Mais il y a pire encore ! Tous les commandants et tous les officiers ne sont pas à la hauteur de la tâche qui les attend dans des terribles combats où ils affronteront l'orgueilleuse marine anglaise. Rivalités de castes : les Rouges du Grand Corps, choisis dans la haute noblesse, dédaignent les Bleus qui n'ont pas le même sang ! Et tous les capitaines, même quand ils sont braves et compétents, ne se plient pas facilement aux ordres de ce bailli, gros mangeur, rude et cassant, qui reçoit en tenue débraillée ces officiers tirés à quatre épingles. A le voir ainsi, on sent ce grand chef plus proche du matelot qui l'adore que de ces officiers distingués qui le craignent plus qu'ils ne l'aiment. Quand ils ne le détestent pas... Drôle de chef que celui que l'on a vu au Port Louis, dans son zèle à partir, travaillant parfois comme un matelot !

Mais cet homme de fer accomplira des miracles dont le moindre ne sera pas celui d'hiverner sur les côtes inhospitalières des Indes au lieu de retourner vers les rivages heureux de l'île de France dont rêvaient officiers et équipages. Il forge tous ses hommes à une rude guerre et malgré épidémies et privations, incompétences et insubordinations — quand l'indiscipline des uns contrecarre la bravoure des autres — dans une lutte sans merci contre un adversaire redoutable, il forcera l'admiration de ces Britanniques pour qui la victoire est une longue habitude.

Cinq combats qui n'aboutissent point cependant à la destruction de l'escadre anglaise. Avec un peu plus de chance et un peu moins d'indiscipline ou d'incompétence de la part de certains capitaines, le dénouement eut été autre dans cette guerre qui fut trop souvent celle des occasions perdues. Convois à l'île de France... Conseils de guerre... Sanctions dures... Mais les batailles de Sadras, de Provédien, de Négapatam, de Trinquemale et de Gondelour ne sont pas décisives comme l'escomptait Suffren.

Combat indécis comme Provédien. Victoires incomplètes comme Trinquemale qui fait capituler la ville, et Gondelour qui sauve les assiégés. « *Il est affreux d'avoir pu quatre fois détruire l'escadre ennemie et qu'elle existe toujours* », écrit-il au ministre Castries.

Suffren est toujours au cœur de la mêlée. Au combat de Trinquemale, son vaisseau *le Héros* perd ses mâts et quand Suffren réalise que les clameurs anglaises font croire qu'il a amené son pavillon amiral, tombé avec un mât, il hurle dans la bataille :

— *Des pavillons... Qu'on couvre mon vaisseau de pavillons ! !*

Et le combat continue de plus belle jusqu'à la nuit dont profite l'amiral Hughes pour abandonner le champ de bataille.

Le 2 juin 1782, c'est Gondelour, le dernier grand combat que livre le bailli de Suffren avec ses quinze vaisseaux contre les dix-huit de l'amiral Hughes. Et l'escadre anglaise fort malmenée se retire... Le général anglais qui assiégeait la ville bat en retraite... Tippo Sahib, le fils du grand sultan, revient à marches forcées ! De grands projets et de grands rêves de conquête... l'Inde à nouveau française peut-être !

Mais une frégate anglaise sous pavillon parlementaire apporte une lettre de Hughes : elle annonce que les préliminaires de la paix ont été signés. Comme l'écrivit Froberville dans son journal de guerre avec Suffren Hughes n'eut pas été si pressé d'avertir son adversaire si sa flotte était dans un meilleur état... Prompts à la

Bataille de Gondelour, *20 juin 1783. « C'est que Hugues une fois encore, abandonne le champ de bataille, accentue son largue et prend la haute mer de toute la vitesse de ses cuivres ».*
(Raymond M. d'Unienville : Hier Suffren)

guerre quand elle leur sourit... Et à la paix quand elle les avantage. Eternels Anglais !

Saint Elme le Duc ajoute que la nouvelle de la paix fut confirmée par un courrier qui emprunta la voie la plus rapide de la Méditerranée et du grand désert de Syrie avant d'atteindre l'Inde. Et de conclure, un peu légèrement peut-être : « *Le salut des Anglais n'a peut-être tenu qu'à la célérité d'un chameau...* »

« Si la paix nous volait la victoire... » Cette guerre altruiste qui consacre l'indépendance américaine eut dû valoir autre chose à la France que les cinq comptoirs qu'elle avait recouvrés. C'était le prix dérisoire de tant de sang et de tant de gloire dans ces Indes où l'on avait combattu tant d'années et sur le vaste océan refermé sur tant de morts. Mais l'enjeu principal était ailleurs...

Le 12 novembre 1783, l'escadre de Suffren est de retour à l'île de France qu'elle avait quittée deux ans plus tôt. Accueil triomphal. Maintenant que la guerre est terminée, sans doute redoute-t-il moins pour ses officiers les attraits périlleux de cette « Cythère de la Mer des Indes » comme il la nommait avec un peu d'emphase.

« Monsieur le bailli de Suffren, commandeur de l'Ordre de Malte, a de bonnes raisons de ne pas faire la cour aux femmes », disait un officier persifleur qui souffrait des restrictions jadis imposées à l'escale. Sans doute faisait-il allusion aux trois vœux prononcés par tout chevalier de Malte : obéissance, pauvreté et chasteté. Mais le bailli en avait assurément pris quelque licence...

On raconte qu'à son retour Suffren ne fut pas insensible à certaine dame. Mais l'histoire en est restée secrète — à moins que la légende le fut moins parce que « le lendemain il a pris une maison à terre ».

« Après le souper au Gouvernement toutes les dames de la ville sont venues lui faire une visite et lui ont donné une aubade » ou selon d'autres termes « qui le viennent enguirlander de poésie, de musique et de chansons sur des airs à la mode ». Ici s'arrêtèrent les relations de Suffren avec l'île de France.

Les plus grands honneurs attendaient le héros à son retour en France le 26 mars 1784 après une escale triomphale au Cap où il rencontre son adversaire Hughes qui rentrait en Angleterre. Il fut fait vice-amiral peu après. Ainsi se terminait « l'épopée Suffrénienne » selon l'expression de Raymond d'Unienville (*Hier Suffren*).

Les années passaient dans la gloire et les témoignages d'admiration. « *Epoque heureuse,* écrivait Georges Lecomte, *où le rayonnement de la France était tel que partout, l'art, la mode, l'amour, la paix, la guerre se faisaient à la française...* »

Un certain mystère entoure la mort de Suffren. Mourut-il d'une saignée mal faite ou d'un coup d'épée reçu au cours d'un duel qui lui aurait valu les sanctions impitoyables dont il avait frappé certains de ses officiers pendant la guerre dans l'Inde ? On ne peut l'affirmer. Il ne revit pas sa Provence natale.

> « *Le bailli Suffren partit pour Paris,*
> *Et dit-on les grands de cette contrée,*
> *Furent mauvaisement jaloux de sa gloire*
> *Et ses vieux marins jamais ne l'ont vu...* »

On le chante encore dans *Mireille* !

Ainsi disparut le 8 décembre 1788, celui dont Bonaparte devait dire : « *Pourquoi Suffren n'a-t-il pas vécu jusqu'à moi ! J'en aurais fait notre Nelson et nos affaires auraient pris une autre tournure...* » Un historien anglais jugeait sa mort malheureuse pour la France et opportune pour l'Angleterre, à la veille des guerres qui allaient embraser l'Europe, avec comme toujours leurs échos dans l'Océan Indien, jusqu'en 1815. Sans doute manquait-il à cette marine mutilée par les coupes sanglantes de la Révolution, un marin de cette stature qui, selon l'expression de son dernier biographe Roger Glachant, auteur d'une très remarquable HISTOIRE DE L'INDE DES FRANÇAIS « *a roulé dans son époque comme une boule de fonte...* »

Ecrasant les hommes et les préjugés... Faisant passer dans la guerre sur mer un frisson nouveau... Une audace dans une discipline que n'eut point reniée Nelson... Et pourtant ses combats qui ne furent pas décisifs ne laisseraient-ils que « *le plaisir d'avoir fait grand peur aux Anglais sans autre profit que la réputation soutenue du nom français en Océan Indien* », comme l'écrit Jacques Perret ?

Nul ne sait si la Révolution n'aurait pas guillotiné sans remords et sans patriotisme celui qui avait fait trembler les Anglais dans l'Inde. Mort, il ne fut pas davantage respecté par elle puisque le corps de « très illustre religieux seigneur frère Pierre André de Suffren Saint Tropez » fut jeté sur la voie publique pendant la Terreur, après la profanation de sa tombe.

Quant au *Héros*, son vaisseau de commandement, ce vieux compagnon de tant de combats que l'on voyait toujours, comme le panache du Roi Henri, au cœur des batailles, sur le chemin de l'honneur et de la gloire, il se trouvait à Toulon quand le port fut livré aux Anglais. Ils l'incendièrent quand Bonaparte les en chassa.

le combat du grand port

C'est dans la magnifique baie du Grand Port où les Hollandais avaient débarqué 112 ans plus tôt qu'eut lieu du 24 au 26 août 1810 la grande bataille dont le nom est gravé sur l'Arc de Triomphe de l'Etoile à Paris. Combat acharné que livra l'escadre du Capitaine Duperré à celle du Capitaine Pym. La bataille eut ses chantres comme le Colonel Maingard, soldat et homme de lettres qui écrivit un poeme sur le combat. Voici les derniers vers au sujet de la seule frégate anglaise survivante :

Tu veux enfin nous échapper,
Arrête Iphigénie !
Notre Achille veut t'empêcher
Qu'on ne te sacrifie.

Cède... et chante près du rocher
Témoin de ta disgrace,
Il m'en souviendra,
La rira
De l'Ile de la Passe !

Sir Robert Townsend Farquhar (1776-1830) fut choisi comme premier
gouverneur britannique des îles de France et de Bourbon.
Les Anglais avaient capturé l'Ile Bonaparte,
ou Bourbon, avant de s'attaquer à l'île de France. Farquhar, homme du monde et
bon administrateur, fit de son mieux pour entretenir de bonnes relations
avec ses nouveaux administrés. (Tableau de la collection du Réduit)

Sir Nesbit Josiah Willoughby (1777-1849), marin intrépide et téméraire,
dirigea la capture de l'île de la Passe et des raids
de commandos sur la côte. Il commandait la frégate Néréide où on
le retrouva, laissé pour mort,
recouvert de l'Union Jack...
▷

Le capitaine Duperré, futur amiral, commandait l'escadre française.
Blessé au cours de la bataille, il fut soigné dans la même chambre
que le capitaine Willoughby, à la maison de la Rivière La Chaux,
aujourd'hui
musée de Mahebourg.
▷

« Aux armes ! Voilà les Anglais... » Ce rocher solidement
fortifié qui commandait l'entrée de la baie du Grand Port,
fut capturé par les Anglais au cours d'un raid très audacieux dans
la nuit du 10 août 1810.

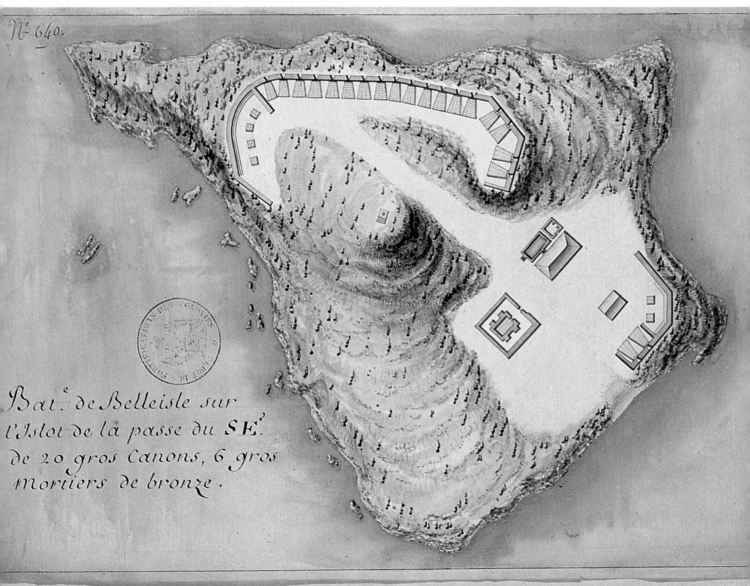

N° 640.

Bat. de Belleisle sur
l'Islot de la passe du SE.
de 20 gros Canons, 6 gros
mortiers de bronze.

Le blocus se resserrait autour des îles de France et de Bourbon. Il fallait en finir avec ce nid de corsaires qui avait causé tant de mal au commerce britannique sur la route des Indes et fait enrager les marchands de la Compagnie des Indes. Le général Decaen qui connaissait ses faibles ressources, s'étonnait même que les Anglais n'aient pas tenté de s'emparer de l'île de France. Mais au mois d'août ils s'emparèrent de l'île Rodrigues à 500 kilomètres dans l'est de l'île de France. En juillet 1810 l'île Bourbon fut prise sans grandes difficultés. Pourquoi après ces succès faciles l'île de France ne tomberait-elle pas comme un fruit mûr ?

Les Anglais misaient sur les privations causées aux habitants par le blocus et sur les avantages commerciaux que ces derniers tireraient d'une honorable capitulation pour tenter de recruter des sympathisants dans l'île. C'est ainsi que Robert Townsend Farquhar qui serait le premier gouverneur de l'île de France, fit distribuer des proclamations aux habitants lors des raids du capitaine Willoughby sur la côte du Grand Port. « *Les Français payent en papier et en lettres de change et nous, nous payons en piastres d'Espagne... »*

Dans la nuit du 13 août un coup de main dirigé par l'audacieux Willoughby, commandant de la frégate *Nereide*, s'empare de l'île de la Passe, rocher hérissé de fortifications, qui commande l'entrée de la baie du Grand Port. Surprise et affolement des colons de voir un matin l'Union Jack flotter triomphalement sur le rocher redoutable. Et pendant plusieurs jours des détachements anglais opèrent des raids sur la côte. Ils prennent d'assaut les batteries côtières et enclouent les canons avant de regagner la Nereide.

Le 20 août Willoughby aperçoit cinq voiles à l'horizon. C'est la division française du capitaine Duperré qui rentre d'une fructueuse croisière : elle a capturé deux navires, le *Wyndham* et le *Ceylan* et fait de nombreux prisonniers dont un général et tout l'état-major d'un régiment d'infanterie.

Willoughby qui sait qu'une escadre anglaise croise dans les parages décide d'attirer les navires français au fond de la rade dans un piège mortel. Il fait hisser les couleurs françaises sur l'île de la Passe et *La Nereide.* L'escadre de Duperré approche. Suspicion des Français quant à l'identité du navire mouillé près de l'île de la Passe... Hésitations et conciliabules...

Mais Duperré donne l'ordre d'entrer dans la baie. Sitôt engagé le premier navire qui est le *Victor* — l'ex *Revenant* du corsaire Robert Surcouf, capturé par les Anglais qui en avaient changé le nom et subséquemment repris par les Français — l'Union Jack remplace le tricolore sur le fort et sur l'île et une bordée foudroyante presque à bout portant foudroie le *Victor* qui, surpris, amène son pavillon. Mais le pavillon français de l'île de la Passe en retombant sur une mèche allumée, provoque une terrible explosion qui fait des morts et des blessés sur l'île ! Hésitation chez les Français. Ne vaut-il pas mieux rallier le large pour éviter à l'escadre de tomber dans le piège ? Mais les récifs proches rendent la manœuvre redoutable pour la *Minerve* que commande un marin aussi intrépide que Willoughby, le capitaine Bouvet. Alors...

La barre droite et vive l'Empereur !

C'est le cri de Bouvet repris en chœur par tout l'équipage. Il donne l'ordre au pilote d'entrer dans la baie ! Clameurs étouffées dans le tonnerre des bordées anglaises qui ébranlent la *Minerve* qui passe près du *Ceylan* qui le suit... Et le *Victor* qui avait amené son pavillon, coupe son câble et rejoint ses compagnons. La *Bellone* du capitaine Duperré arrive à son tour, canons démasqués et mèches allumées. Elle foudroie la *Nereide* qui encaisse durement. Mais le *Wyndham.* la deuxième prise anglaise, ne peut suivre et se fera reprendre le lendemain par une escadre anglaise.

Voilà donc les quatre navires français embossés au fond de la baie du Grand Port où ils voient flotter le tricolore. L'île est donc toujours française...

Le 22 août, le général Decaen qu'un courrier à cheval avait été prévenir à Port Louis, de l'autre côté de l'île, arrive au Grand Port et Duperré qui craint l'imminente attaque d'une forte escadre anglaise, suggère de brûler les frégates pour qu'elles ne tombent pas aux mains de l'ennemi et de renforcer avec leurs équipages l'infanterie et l'artillerie de l'île. Bouvet est d'un avis contraire : il faut combattre l'Anglais sur mer ! Decaen pense comme Bouvet. D'ailleurs avant de quitter la capitale, n'a-t-il pas donné l'ordre au capitaine Hamelin qui vient de mouiller au Port Louis avec trois belles frégates et une corvette d'appareiller en toute hâte pour le Port Napoléon, au Grand Port où va se jouer le destin de l'île de France.

Quant à Willoughby, il se prépare au combat et envoie ses lieutenants chercher le secours d'une autre frégate le *Sirius* qui arrive en compagnie du *Wyndham* repris par les Anglais comme on l'a vu. Et Willoughby signale :

Prêt à l'action. Ennemi en force inférieure..

Audacieux Willoughby dont l'ardeur au combat l'emporte sur la prudence. Mais un peu plus tard il reçoit le secours de deux autres frégates, *l'Iphigénie* et la *Magicienne*. C'est le capitaine Pym de la *Sirius* et qui décide d'attaquer l'escadre française dans l'après-midi du 23 août. Les Français s'étaient préparés fébrilement à l'action. Ils avaient fait enlever les balises qui marquaient le chenal et cette initiative devait leur être favorable.

Le bref crépuscule tropical ne tarderait guère à tomber en cette saison d'hiver. Les Anglais pensaient sans doute en finir rapidement pour engager le combat à une heure si tardive... Le général Decaen entouré de tout son état-major et un grand nombre d'habitants étaient rassemblés sur le rivage. Comme aux premières galeries d'un théâtre dont la scène s'ouvrait sur l'horizon infini de la mer. Théâtre adossé aux montagnes du Grand Port qui répercuteraient au loin les fureurs du combat pendant trois jours.

Après les acclamations qui avaient accompagné la visite d'inspection que fit Decaen à chaque navire, un silence pesant enveloppait la baie du Grand Port. Comme au théâtre où les chuchotements des spectateurs s'apaisent lorsque le régisseur va frapper les trois coups qui précèdent le lever de rideau. L'angoisse étreignait tous ceux qui se rassemblaient de plus en plus nombreux sur le rivage, spectateurs d'un drame où le sang coulerait à flots, dans le fracas de la canonnade et les lueurs d'incendie, à travers les fumées des explosions, les cris des blessés, les clameurs de victoire et de mort.

C'est ici que, deux siècles plus tôt, avaient abordé les Hollandais. Depuis deux siècles et même depuis toujours on ne s'était guère battu dans cette baie merveilleuse où se jouait aujourd'hui le sort de l'île de France. Les combats d'escadre et les assauts de corsaires se livraient loin de ces eaux paisibles qu'agitait seulement parfois la fureur des cyclones moins sanglante que celle des hommes...

Mais le sort en était jeté ! L'escadre anglaise poussée par une brise légère, s'avançait vers la ligne française embossée au fond de la baie. C'est Bouvet le régisseur du spectacle. Sa première bordée ébranle le lourd silence, fait d'angoisses et d'espoirs et embrase bientôt les deux escadres dans le feu de leurs deux cents canons. La bataille commencée le 23 août ne se terminera que le 25.

Elle ne ressemble guère aux grandes évolutions d'escadre dans les vastes espaces libres du large où les ordres des amiraux font évoluer vaisseaux et frégates en savantes et gracieuses manœuvres.

Ici Suffren et Nelson auraient rongé leur frein dans cette action où les hauts fonds et la marée contrariaient les évolutions et finirent par figer les combattants dans une action statique au gré des touages à l'ancre et des remorquages. Que le plus tenace ou le plus désespéré l'emporte...

La nuit trouée d'éclairs et d'explosions, déchirée par l'incendie, ne ralentit pas l'ardeur des combattants. A huit heures du soir Duperré atteint par un éclat, tombe inanimé. Un prisonnier français à bord de la *Nereide*, réussit à nager jusqu'au rivage pour annoncer que la *Nereide* de Willoughby n'est plus qu'une épave flottante, incapable de signaler qu'elle a cessé le feu !

Mais le combat continue. Il s'apaise parfois pour reprendre avec plus d'ardeur. A dix heures du soir, la *Magicienne*, canons chargés et pointés vers les Français, saute dans une gigantesque explosion. A onze heures du matin, c'est le *Sirius*, ravagé par l'incendie qui explose à son tour !

Combat du Grand Port (peinture par Gilbert) livré par la division Duperré contre une escadre anglaise devant l'île de France. Les derniers feux du combat : matin du 26 août. Les canots anglais évacuent une de leurs frégates qui est en train de brûler.

La Nereide n'est plus qu'une épave ; il ne reste que *l'Iphigénie* qui s'éloigne sous le feu français pour aller se mettre sous la protection des canons du fort de l'île de la Passe. Vaine tentative de fuite puisque le capitaine Hamelin qui vient d'arriver, lui coupe tout espoir de fuir.

Le combat du Grand Port est terminé ! L'île de France laisse éclater sa joie... l'escadre anglaise est détruite : une seule des belles frégates a survécu au désastre pour se rendre. Et le jeu de mots d'un officier qui connaissait ses classiques, le résume spirituellement :

> *La* Magicienne *est descendue aux enfers,*
> *Le* Sirius *est monté au ciel*
> *La* Nereide *est restée sur l'eau*
> *Et l'Iphigénie... s'en va en Aulide !*

« *L'orage s'amassait autour de l'île de France ; cette fois c'était bien la fin de tout...* », écrivait l'historien Albert Pitot. La destruction de la flotte anglaise ne changea point les projets des tenaces Anglais ; et la capture de l'île de France demeurait l'objectif prioritaire de l'Amirauté britannique et vengerait la défaite du Grand Port. Le général Decaen n'avait cessé de réclamer en vain des renforts et nul mieux que lui, en sa qualité de commandant en chef, ne se rendait compte de la situation difficile face à une invasion imminente. Mais il ne reçut jamais les renforts nécessaires.

C'est le 26 novembre que les premiers navires anglais sont signalés dans le nord de l'île. Des frégates... des transports de troupe... Bientôt plus de soixante navires qui s'étaient rassemblés à l'île Rodrigues vont enlever à l'île de France toute chance de nouvelle victoire On a reproché à Decaen de n'avoir pas suivi les conseils du capitaine Hamelin qui proposait une attaque surprise à Rodrigues pour brûler les transports anglais.

Que pourra faire Decaen avec ses 4 000 hommes, éparpillés sur divers points de la côte ou groupés autour de Port Louis, face à cette armada ? Il se battra énergiquement pourtant. Pied à pied, les troupes françaises reculent vers la capitale, fuyant les Anglais qui débarquent dans le nord, avançant en trois colonnes sur Port Louis. Des pertes sévères de part et d'autre... des contre-attaques... des faits d'armes individuels... Et puis le 3 décembre 1810 la capitulation est signée avec les honneurs de la guerre. Les lois, les coutumes, la religion et les biens des habitants sont sauvegardés. Et l'île de France reprend le nom de Mauritius.

Pendant ce temps en France, l'empereur joyeux des nouvelles de la victoire du Grand Port, fait de nouveaux projets de renforts, malgré l'indifférence de son ministre Decrès, pour cette île qui avait donné à la France tant de gloire et à l'Angleterre tant de souçis ! 4 500 hommes vont partir de Lorient. Davantage encore de Brest pour porter à 18 000 hommes les troupes chargés de défendre l'île de France. Neuf navires de guerre vont les accompagner. C'était trop tard !

Ces renforts expédiés plus tôt auraient sans doute écarté la menace anglaise. Pour combien de temps ? Et 1815 allait sonner une autre échéance.

* *
*

L'Empereur regrettait toujours la perte de l'Ile de France, d'où le général Decaen mûrissait de grands projets d'intervention française dans l'Inde, comme jadis au temps de Labourdonnais et de Suffren.
C'est lors de la revue navale de l'Escaut en 1811, alors qu'il était sur le *Pacificateur* que Napoléon dit ses regrets pour l'île perdue, tandis qu'il décorait un officier, né à l'île de France :

« *Braves et fidèles colons que je n'ai pu secourir...* »

Ce monument élevé en 1896, par le Comité des Souvenirs Historiques, à la Pointe aux régates, face à la baie du Grand Port, porte l'inscription suivante : A la mémoire des marins anglais et français morts au combat de l'île de la Passe, 20-28 août 1810. Cette période s'étend de la capture de l'îlot à la reddition britannique.

Barthélemy Huet de Froberville

extraits du journal inédit d'un officier du bailli de Suffren

mémoires pour servir à l'histoire de la guerre des français et des anglais dans l'inde .1778 1783.

Barthélemy Huet de Froberville, arrivé à l'île de France en 1778 comme lieutenant d'artillerie, commandait en second l'un des détachements embarqués sur les vaisseaux du Bailli de Suffren en partance pour l'Inde au mois de décembre 1781. Ce détachement embarqué sur l'Ajax, vaisseau de 64 canons, était sous les ordres du Capitaine de Fontenay.

Froberville prit part à toutes les opérations entreprises par l'escadre et participa aux débarquements où l'infanterie se distingua. Il se fixa à l'île de France et se consacra à des activités littéraires et historiques. Il laissa de nombreux ouvrages sur Madagascar et fut le directeur littéraire du *Journal des Isles de France et de Bourbon.* Il fut l'un des fondateurs de la Société d'Emulation Intellectuelle et l'auteur du premier roman publié à l'île de France. Il mourut en 1835, vingt-cinq ans après la conquête britannique. Une partie de son journal mauricien a été publié en 1906 sous le titre d'*Ephémérides Mauriciennes* (1827-1834).

Le manuscrit du volumineux journal laissé par Froberville se trouve en possession de la famille Froberville, à Chailles, près de Blois, ainsi qu'un « mémoire sur les trois guerres de l'Inde ». Le journal sur la campagne de Suffren dont seulement de très courts extraits sont connus du public, sera publié en 1979.

Le premier extrait concerne le début de la bataille de Provedien, « cette fameuse journée plus glorieuse encore que décisive », comme l'écrivait Froberville qui ajoutait : « Nos ennemis quoique battus, étaient encore en état de se faire craindre ; il était moins question pour eux d'avoir un avantage décidé que de nous tenir échec assez longtemps, pour miner insensiblement nos forces, et nous obliger d'abandonner la côte. Et cette politique leur réussissait pour la seconde fois... »

Le deuxième extrait témoigne du courage et de la gouaille des officiers et des hommes d'équipage. Episode de la bataille de Gondelour.

Le troisième extrait relate un épisode pacifique et pittoresque des célébrations franco britanniques chez le gouverneur anglais à Karikal. L'armistice avait été signé...

Le quatrième donne un aperçu du régime alimentaire du corps de débarquement pendant la campagne. Chien marron ou bœuf...

Barthélemy Huet de Froberville
Portrait en possession de Mademoiselle Solange de Froberville.

UNE GRANDE BATAILLE

A midi et demi, le général fit signal de laisser arriver à un aire de vent indiqué. Nous fîmes servir et gouvernâmes sur l'ennemi qui nous attendait.

Peu de temps après, l'escadre eut ordre de courir en Echiquier tribord armure, et la seconde division de forcer de voile.

A 1 heure et quart il fit encore signal à toute l'escadre de laisser arriver.

Vaisseaux Anglais sous le vent

Le Héro	74 canons	Le Superbe	74 canons
Le Monarch	70 canons	L'Exceter	64 canons
Le Monmouth	64 canons	L'Isis	50 canons
Le Coventry (frégate)		Le Seahorse (frégate)	
L'Aigle	64 canons	Le Burford	64 canons
Une grosse flûte		Le Vorchester	64 canons
Le Magnanime	64 canons	Le Sultan	74 canons

Au Vent	Vaisseaux Français	Frégates
Le Vengeur	64 canons	La Fine
L'Annibal Anglais	50 canons	La Subtile
Le Héros	74 canons	Le Diligent
Le Brillant	64 canons	
L'Ajax	64 canons	
Le Flamand	50 canons	
L'Arthésien	64 canons	
Le Sphinx	64 canons	
L'Orient	74 canons	
Le Sévère	64 canons	
L'Annibal (fr)	74 canons	
Le Bigarre	64 canons	

La Pourvoyeuse frégate portant du dix huit fut chargée dans le combat d'inquiéter l'ennemi.

Extrait 1 .. ..

Le Vengeur et l'Arthésien, les deux premiers en tête de la ligne au lieu de laisser arriver ainsi que le portait le signal réitéré d'approcher l'ennemi à portée de pistolet, serrèrent le vent et se tinrent constamment à la même distance des vaisseaux ennemis.

Cette manœuvre dont on ne peut approfondir la cause exposa au feu de quatre des vaisseaux de la tête de la ligne anglaise. Le Sphinx et le petit Annibal qui marchaient après le Vengeur et l'Arthésien, et qui croyaient de leur devoir d'exécuter les ordres donnés à toute l'escadre.

Une demie heure après que nous eûmes commencé à tirer, le feu fut général. Le Flamand et le Bigarre engagèrent l'action, et de toutes parts volèrent et l'horreur et la mort.

A 1 heures 3/4 les vaisseaux de la tête entamèrent l'action, et le général français posté dans le centre de la ligne eut à combattre le vaisseau amiral. Les lauriers prenaient chaque jour sur sa tête, un nouveau lustre, et son nom, si des succès plus brillants ne l'eussent déjà immortalisé, eut passé à la postérité, sous les titres précieux qui rendent chère la mémoire des plus illustres généraux. Son zèle, son activité, la grandeur de ses entreprises, la nature des moyens employés pour leur exécution, tout mettait ce brave et vaillant Capitaine de niveau avec ce que l'histoire nous a transmis de plus grand, dans les faits de ceux que leur rang avait appelés au commandement des autres hommes et annonçait aux Anglais ce qu'ils avaient à craindre d'un semblable ennemi.

Il fit signal à toute l'escadre de serrer la ligne anglaise à portée de pistolet. On ne peut douter que s'il eut été obéi, avec l'esprit qui dictait ses ordres, il n'eut défait ou détruit entièrement l'escadre anglaise. « J'avais cloué, nous dit-il après le combat, le signal de serrer l'ennemi à portée de pistolet et je n'ai pas été obéi. »

A peine le combat eut-il été engagé que sept des vaisseaux ennemis laissèrent arriver. Le général fit signal à toute l'escadre de laisser arriver pour se conformer en tout à leurs manœuvres et ne leur laisser aucun moyen d'échapper comme c'était toujours son intention.

Le Grand Annibal, dès cet instant, commence à tirer sur le quatrième vaisseau de l'arrière de la ligne ennemie, nous mîmes quelques voiles de plus pour nous rapprocher de lui.

Signal réitéré d'approcher l'ennemi à portée de pistolet.

A 2 heures 16, nous commençâmes notre feu sur le troisième vaisseau de l'arrière-garde.

Extrait 2   ..   ..

MORT DU CAPITAINE
Depuis environ une demie heure l'Ajax et le Flamand soutenaient les efforts du Gibraltar, vaisseau (anglais) de 80 canons, celui sur la force duquel les ennemis fondaient toutes leurs espérances et de deux autres vaisseaux qui le suivaient immédiatement sans avoir ralenti la vivacité de leur feu. Il semblait au contraire avoir acquis une nouvelle ardeur et triomphé de la force supérieure des ennemis qui ne ripostaient plus que par intervalle lorsque couverts de gloire les commandants des deux vaisseaux, atteints d'un coup mortel, furent enlevés à leurs équipages et à leur patrie. Ils périrent au champ d'honneur, victimes des derniers efforts des ennemis mais leur mort fut vengée : le Gibraltar et les deux vaisseaux dont il était suivi furent réduits au silence et à l'inaction par un feu dont il n'eut jamais d'exemple. A 6 heures 14 le général fit signal de tenir le vent tous ensemble. La nuit approchait et il craignait les erreurs qui pouvaient résulter d'une prolongation. A 6 heures 17 il fit signal

de cesser le combat, mais l'acharnement était si grand qu'il eut de la peine à faire exécuter ses ordres. A 7 heures l'Ajax et le Flamand tiraient encore. Le feu ne cessa tout à fait qu'à sept heures douze minutes, heure à laquelle l'ordre de tenir le vent fut réitéré. A huit heures passa en poupe de nous la Cléopâtre, elle prolongeait la ligne à l'effet de s'informer et d'aller rendre compte au général de l'état des équipages et des vaisseaux après cette glorieuse journée — « Dites au général répondit M. de Clémenein que M. Dupas n'est plus et qu'il a payé de sa vie la gloire qu'il s'est acquise. L'Etat Major du vaisseau ainsi que l'équipage ignoraient encore le sort de leur capitaine.

DANSE CHEZ LE PERE ETERNEL
Cette triste nouvelle y jeta la désolation. Monsieur Dupas était debout près du banc de quart à considérer les manœuvres, à encourager son équipage lorsqu'un boulet ennemi au défaut de l'épaule lui emporte le bras, lui rompt trois côtes et le renverse baigné dans son sang. Sauvez notre capitaine, dit M. Jolais son officier de manœuvre aux matelots qui l'entouraient. La pâleur de la mort était déjà sur son front. On le porta au poste, il avait les yeux fermés, le mouvement les lui fit ouvrir. En passant dans la première batterie il y vit M. de Pureau, troisième du vaisseau qui y commandait « Adieu Monsieur lui dit-il, je meurs : mais je mourrai satisfait si le beau feu de l'Ajax ne se ralentit point. Cachez ma mort à l'équipage, qu'il ne l'apprenne qu'après l'action ». Il n'en put dire davantage, le sang qui reflua dans la poitrine lui ôta bientôt la respiration et la vie. Le même boulet qui le frappa coupa les deux mains de son maître d'équipage et emporta la jambe d'un des servants d'une pièce de Gaillard. Le mot de cet homme à un semblable spectacle donnera bien plus à connaître l'esprit du matelot que tout ce qu'on pourrait dire à cet égard. « Voilà dit-il en se tournant vers un de ses camarades qui venait d'avoir la jambe emportée : un bougre qui dansera chez le Père Eternel quand j'y jouerai du violon ». Nous eûmes dans cette action cinq à six hommes tués raides, et trente cinq de blessés, tous très dangereusement.

. . . .

DES CULS DE JATTE
DANS LES HUNES
De tous les postes, le plus exposé, le plus dangereux dans un combat est sans contredit celui des hunes, surtout dans une action avec les anglais qui tirent moins en plein bois qu'à démâter. Ce fut aussi

celui que nous eûmes le plus maltraité. Trois de nos gabiers de quatre qui étaient dans la grande hune, eurent d'un seul coup les jambes emportées. Nous jugeant trop occupés en bas pour leur porter les secours nécessaires, un d'eux proposa à ses compagnons d'infortune d'aller en chercher eux-mêmes, avant que la perte entière de leurs forces y fut un obstacle. La proposition fut acceptée, ils descendirent tous les trois à genoux. Il n'y a que ceux qui connaissent la disposition des hunes et des enfléchures d'un vaisseau qui puissent se faire une idée de la hardiesse et du danger de cette entreprise dans un état semblable où étaient ces malheureux. Un d'entre eux s'évanouit au milieu des haubans, le second fut emporté par un boulet de canon à peu de distance de lui, et le troisième qui eut la force de descendre jusqu'en bas, y fut recueilli, sans autre événement, par des matelots que le Capitaine envoya à son secours.

Celui qui s'était évanoui au milieu des haubans mourut entre les bras de ceux qui venaient de l'enlever avant d'avoir pu être transporté au poste.

Extrait 3 ....

BAL CHEZ LES ANGLAIS
J'employai une partie de la journée à parcourir ce qui restait de l'ancien Kary-Kal et ses environs. Partout les maisons étaient désertes, partout la terre sans culture. Pour me sauver de l'horreur de ce silence, et cette solitude, je rentrai dans la ville où la fête qu'on préparait et le concours de monde qu'elle avait attiré, portait un air de vie qu'on cherchait vainement ailleurs.

Le dîner se terminait lorsque je parvins au Gouvernement, le général parlait déjà de se rembarquer, mais les supplications du gouverneur anglais et d'une partie des femmes obtinrent de lui qu'il permettrait aux officiers de son escadre de rester jusqu'au soir. Monsieur de Suffren ne dansait point, il rentra à son bord de très bonne heure. Mais immédiatement le bal s'ouvrit après le dîner et continua jusqu'à onze heures du soir, temps déterminé pour le retour à bord. Dans le nombre des femmes qu'il y avait à la fête étaient deux françaises, habitantes de Pondichery, que les malheurs de cette guerre avaient forcé de se retirer à Tranquebar. Elles portaient l'une et l'autre un large ruban bleu, sur lequel était peinte une croix de Malte couronnée de ces mots : « Vive le Commandeur de Suffren, vainqueur des demi dieux de la mer ». La devise fit rire. Le général français méritait bien cet éloge. Mais il y avait un peu de

maladresse à le faire sonner si haut et en de semblables termes chez un anglais. A minuit le général fit signal d'appareiller, il se douta qu'il y avait des traîneurs.

Sa bonté le détermina à laisser la Cléopâtre en rade de Kary-Kal pour y prendre le lendemain tous ceux qui n'avaient pas pu rallier l'escadre.

Extrait 4 .. ..

DES CHIENS POUR LE RAVITAILLEMENT
Les capitaines d'infanterie avaient trois roupies de supplément par jour, les lieutenants et sous-lieutenants deux et outre cela leurs appointements des îles. On leur fournissait riz, beurre, mantègue et chiens marrons qu'ils payaient sur les roupies de supplément qu'on leur accordait. Ils avaient un chien marron pour six par jour ou du bœuf à proportion. Les fourriers et sergents de chaque compagnie avaient outre leur paie franche, deux livres de riz par jour par tête, quatre livres de mantègue, un chien marron pour dix et une bouteille chacun d'une grande consommation. C'est une coutume qui m'a toujours révolté que cette parcimonie répandue sur la multitude. Dix hommes ne consomment-ils pas plus que six... ?
(Froberville dit avoir rencontré « un troupeau de 800 bœufs et d'autant de chiens marrons... »

COMMENT UN MATELOT ANNONCE LA MORT DE SON OFFICIER

(Extrait des nouvelles adressées par Eugénie Bon à sa cousine Elisa Prieur de Favrieux, épouse de Jean Baptiste Guimbeau.)

Après le combat les vaisseaux désemparés furent conduits dans le Port-Louis pour être réparés. Un soldat de marine des premiers débarqués arrive tout droit à la demeure de l'Enfoncement. Une seule personne se présente à lui, c'est notre grand'mère (Marie Prieur de Favrieux).

— Quelle nouvelle m'apportez-vous lui crie-t-elle tremblante.
— Ah ! répond le marin, pour nouvelle, je n'apporte qu'un chapeau. Mon officier m'a dit : Si je tombe, tu ramasseras mon chapeau et tu le remettras à ma mère.

J'ai promis : le voici !

les corsaires

Armement de corsaire à Saint-Malo.

Robert Surcouf (1773-1827). Né à Saint-Malo. Le plus célèbre des nombreux marins qui s'illustrèrent dans la guerre de course contre les Anglais dans l'Océan Indien. Fut appelé le « Roi des Corsaires ». (Coll. Musée de Mahebourg)

La guerre de course était une opération menée contre le commerce ennemi par une escadre, par une compagnie commerciale armée en guerre ou par un particulier. Le mot corsaire fait penser surtout à ces guerilleros de la mer, véritables commandos qui opéraient avec une « *lettre de marque* », délivrée par les autorités gouvernementales, qui lui assurait un statut de belligérant. La lettre de marque qui lui permettait les opérations contre l'ennemi le différenciait du pirate qui courait sus à tout navire qui lui semblait de bonne prise, sans distinction de nationalité. Si l'on a souvent confondu pirates et corsaires, c'est parce que la guerre de course dans les Antilles, fut parfois matinée de piraterie. Il n'en fut pas ainsi dans l'Océan Indien et s'il y eut jamais des abus à l'égard des captifs, ce fut davantage l'affaire de certains hommes que du système. Si les bagages étaient parfois pillés, — on appelait ce pillage « la part du diable » — les captives n'étaient pas violées et les prisonniers massacrés comme le faisaient souvent les pirates.

De nombreux avantages encourageaient la guerre de course que régissaient de sévères règlements appliqués avec tant de rigueur qu'ils provoquaient des conflits avec les autorités. Le bouillant Robert Surcouf s'en accommodait très mal. Les prises étaient jugées par un tribunal spécial ou un Conseil de Prises qui pouvait libérer un navire arraisonné dans des conditions douteuses ou tout simplement le confisquer au profit de l'Etat. Les marchandises étaient inventoriées puis vendues aux enchères comme le navire. Les parts étaient ensuite attribuées aux armateurs et à l'équipage, après déduction de frais divers. Une certaine somme était versée à la Caisse des Invalides ; les blessés graves et les héritiers des marins tués au combat n'étaient pas oubliés. Le capitaine touchait 12 parts, 10 à 6 parts pour les officiers, une part et demie ou une part pour les hommes tandis que les mousses n'en touchaient qu'une demie.

Les navires corsaires, petits ou grands, étaient rapides. Il y en eut qui jaugeaient à peine 50 tonneaux, avec quelques canons et une trentaine d'hommes d'équipage. En général ils étaient beaucoup plus gros et le plus important sans doute, *La Psyché* que commandait le capitaine Lemême, jaugeait 600 tonneaux, portait 34 canons et 278 hommes d'équipage. Le célèbre *Revenant* de Robert Surcouf avait 18 canons et 192 hommes. Il fut réquisitionné par le Général Decaen « *au nom de l'Empereur pour l'utiliser au service de Sa Majesté* » à la grande rage de Surcouf. Sa *Clarisse* où son frère Nicolas servait comme second, avait un chirurgien, 4 officiers, 60 Européens de diverses nationalités, 10 cafres, 11 lascars, un Syrien et un Malais ! De nombreux noirs de l'Ile de France et de l'île Bourbon faisaient partie de ces équipages bariolés qui comptaient parfois des prisonniers étrangers, des esclaves et même des déserteurs en rupture de la marine nationale. L'Ile Bourbon arma très peu de corsaires mais l'on retrouvait souvent à bord ces Volontaires de Bourbon qui étaient des tireurs d'élite.

Les escadres du Roi pendant la guerre de Sept Ans avaient entrepris des opérations de course dans l'Océan Indien tandis que le Comte d'Estaing qui avait armé à ses frais deux navires, mena de brillantes croisières « *à la Surcouf* » jusqu'aux côtes lointaines de Sumatra. Pendant la Guerre d'Indépendance Américaine les corsaires allaient faire parler d'eux tel le Capitaine Deschiens que l'on retrouvera pendant les guerres de la Révolution et que les Anglais, à cause de sa hargne au combat, appelèrent « *le chien enragé* ». Mais la guerre de course connaîtrait son apogée pendant la Révolution et l'Empire et ferait un tort considérable au commerce anglais avec l'Inde. Plus de 300 prises de toutes tailles de 1793 à 1810 dont la valeur approchait une cinquantaine de millions. L'on comprend les lamentations des marchands britanniques et

l'offre de l'East India Company de payer un demi lakh de roupies (253.238 francs !) pour la capture de Robert Surcouf. « *On l'enfermera dans une cage de fer et on le montrera aux habitants de Calcutta comme une bête féroce* » écrivait un journaliste britannique.

La liste est longue de ces hardis aventuriers qui, au prix de 30 navires perdus principalement dans des engagements contre la Royal Navy, contribuèrent si largement au renom de cette île de France dont la jeune histoire s'auréolait déjà de prodigieux faits d'armes. Lenouvel, Malroux, Hodoul, Epron, Desjardins, Dumaine, Drieux, Harel, Lemême, Ripaud de Montaudevert, Dutertre, Potier et les deux Surcouf, Nicolas et Robert. On ne peut les citer tous. L'histoire a fait de Robert Surcouf le Roi des corsaires de l'océan Indien qui vit ses nombreux exploits — avec 47 prises de toutes tailles — dont le plus célèbre fut la capture dans les brasses du Bengale, de l'Eastindiaman *Kent*. Ce navire armé de 38 canons avec un équipage de 150 hommes, transportait aussi 300 soldats tandis que *la Confiance* de Surcouf n'avait que 18 canons et 185 hommes. « A chaque sillon que notre fureur trace dans les rangs ennemis écrit Garneray, de nouveaux combattants roulent, semblables à une avalanche, de la dunette du *Kent* et viennent remplacer leurs amis... »

Comme beaucoup de marins corsaires, Robert Surcouf était breton et natif de Saint-Malo. Doué d'une force peu commune et d'un caractère généreux mais emporté, il continua de faire parler de lui en France après l'armistice pendant l'occupation ennemie. On n'a pas oublié ce duel célèbre au sabre où il triompha successivement de onze officiers prussiens, tués ou hors de combat et du douzième qu'il épargna. « *Il faut au moins qu'il en reste un pour dire comment ça s'est passé...* »

Les corsaires se battaient pour la patrie, la gloire et l'argent — ces trois éléments n'étant pas toujours conjugués ! — et l'acharnement des combats était souvent à la mesure des richesses convoitées. Nul combat ne l'illustre mieux que celui que livra le capitaine Malroux, à bord de l'*Amphitrite* (18 canons) dans la Mer Rouge à un trois mâts *La Perle* qui, sous pavillon anglais, transportait de précieuses offrandes de pèlerins qui étaient destinées à la Mecque. *La Perle* est enlevée au canon et à l'abordage. Le butin est transporté à bord de l'*Amphitrite* qui, cinq jours plus tard, est accrochée par une corvette anglaise de 24 canons, le *Trincomalée*. L'après-midi se passe en violents combats et pour en finir Malroux décide, malgré ses forces inférieures, de l'enlever à l'abordage. On se bat au clair de lune... Combat d'une férocité inouïe que livrent ces Frères la Côte pour conserver une prodigieuse fortune. Les Anglais sont refoulés dans la cale. Le feu prend à bord et le *Trincomalée* dans une terrible explosion, saute en même temps que l'*Amphitrite*. Malroux a disparu ; les richesses sont au fond de l'eau et il y a très peu de survivants ! Seule *la Perle* revient à l'île de France...

Des corsaires, dont Robert Surcouf, s'enrichirent ainsi que des armateurs car les opérations de course tentèrent de nombreux négociants dont les plus connus étaient les frères Pitot. Si certaines prises avaient une valeur considérable d'autres ne valaient guère la peine et le sang versé. La cargaison du *Kent* fut estimée à 1.800.000 francs, tandis que celle du vaisseau portugais *San Sacramento* valait dix millions de francs dont Lemême reçut plus d'un million ! Prise tout à fait exceptionnelle. Le corsaire Epron qui s'empare du *Grappler* trouve à bord 312.000 piastres (1.700.000 francs) en espèces. Un historien anglais écrit que de 1807 à 1809, quatorze navires de la Compagnie anglaise des Indes, capturés surtout par les corsaires, transportaient une cargaison valant trente millions de francs. Beaucoup de marchandises ramenées au Port Louis étaient écoulées par des navires neutres qui contribuaient à l'activité du port. Les corsaires en temps de disette et de blocus apportaient un ravitaillement précieux.

Sans doute les équipages connurent plus de déception que de joie dans cette course à la fortune. « *Je m'élance pour la seconde fois dans l'Inde et la guerre ; l'horrible guerre me suit, la soif de l'or me guide de nouveau et me précipite sur un élément qui m'a été déjà si fatal et que la prudence m'ordonnait impérieusement d'abandonner...* » Jadis chez les corsaires comme aujourd'hui chez les soldats de fortune, le goût de l'aventure primait d'autres motifs.

La guerre de course, guerrilla de la mer, est un épisode glorieux de la longue guerre que se livrèrent la France et l'Angleterre dans l'Océan Indien. Elle eut ses héros, ses martyrs et ses chantres. Elle apporta plus de gloire à tous que de richesse à chacun ; plus de souffrances que de joies. Mais le cri célèbre des capitaines corsaires, « *A l'abordage...* », repris en chœur par l'équipage tandis que les navires se heurtaient dans une étreinte mortelle, fait passer toujours le même frisson dans les récits d'histoire et d'aventures.

La Société de l'Histoire de l'Ile Maurice, fondée en 1938 et à qui l'on doit de nombreuses et intéressantes publications, fit imprimer en 1939 sous le titre « *Journal Historique de Georges Dandin 1777-1812* » l'une de ces très rares autobiographies de corsaire, dont le manuscrit se trouve en possession de la Bibliothèque Carnégie, à Curepipe. Qui est ce corsaire Dandin ? Le Dr A. Toussaint dans sa préface, précise qu'il s'agit sans doute là d'un pseudonyme.

Les aventures galantes tiennent une grande place dans le récit de ce jeune marin :
« *Mon premier début en allant à Calcutta, fut comme on doit le présumer de sonder le sexe féminin. Aucun pays n'offre de femmes plus attrayantes. Je voltigeai d'abord de la blanche à la brune, et de celle-ci à la noire...* »
mais il donne d'excellentes descriptions de cette vie de corsaire qui se terminait parfois dans les prisons d'Asie.

L'on notera la différence entre la captivité chez les Hollandais à Batavia et chez les Anglais à Calcutta. Ainsi qu'une observation sur l'emprisonnement infiniment plus rigoureux sur les horribles pontons anglais qu'ont connus de nombreux marins en Angleterre.

DOUCES PRISONS...

Les prisonniers de guerre reçoivent à Calcutta, un gros mouton pour huit hommes, de deux jours l'un, un pain blanc, une chopine de grogue ; tous les jours à chaque prisonnier du sel, du piment, un paquet de bois, six cigares à fumer. Le jour où ils n'ont pas de viande on leur donne neuf sols par homme, du riz et les mêmes articles de la veille. Ils ont des blanchisseuses et autres domestiques pour la cuisine et la propreté des salles. Chaque prisonnier peut avoir une femme et s'il survient un enfant, on lui accorde la 1/2 ration. On reçoit annuellement un chapeau, six paires de souliers, deux pièces de toile, une veste piquée. Les salles sont éclairées de nuit comme en plein jour. En un mot il n'y a vraiment que le mot de prison dans ce traitement politique qu'ordonne la compagnie afin de maintenir aux Européens cette considération si nécessaire au système d'oppression qui gouverne ce pays et en cela la compagnie est bien plus sage que le gouvernement anglais, ou ses agents dans les Indes Orientales. Là on avilit les prisonniers de guerre, en en confiant la garde à des nègres esclaves. Je renvoie ce dernier sujet au mémoire qui se trouve à la fin de ce journal historique.

Quel contraste avec les horribles pontons où s'entassaient les prisonniers en Angleterre : « *Années d'une bien plus cruelle captivité que la précédente, je dis plus cruelle, parce que les prisons flottantes d'Angleterre sont plutôt le séjour des plus vils Criminels, que les dépôts des prisonniers de guerre.* »

Abordage du Friton par le corsaire Le Hasard.
(Gravure de L. Garneray)

◁

Ordre de Surcouf à son second, le capitaine Drieux qui avait
commandé l'abordage du Kent, de ramener le navire à l'île de France,
(Collection Robert Huet de Froberville)

CRUELLES PRISONS...

Le traitement que les agents hollandais nous firent éprouver, passe toute croyance : on nous donnait un peu de riz en paille, et de temps en temps un petit morceau de mauvaise viande. Pas d'autre boisson que de l'eau qui dans ce pays est mal saine. Les Hollandais d'outre-mer sont les plus cruels des hommes, ils s'étaient persuadés, dans le délire de leur haine, que les français ne méritaient pas de vivre ; que c'était même faire une bonne action d'en purger la terre, qu'ils empestaient disaient-ils, par leurs principes révolutionnaires, toutes les possessions des puissances en guerre avec la France, ont traité les prisonniers de guerre avec barbarie. En Espagne et en Portugal les prêtres, un crucifix à la main, prêchaient l'assassinat; c'était plaire à Dieu que d'égorger un Français, en Angleterre et en Hollande, on entendait dans tous les cercles publics le cri d'extermination contre les Français. Il ne faut donc pas s'étonner que des vils agents subalternes aient exercé les cruautés dont je vais faire mention.

Il y avait quatre mois que j'étais sur une des fatales prisons flottantes, lorsque je m'aperçus que j'y avais attrapé la galle, on voulait me contraindre d'aller à l'hôpital, ce que je refusai parce que de tous temps ceux qui y avaient été, aucun n'était revenu. Il fallut cependant céder aux menaces et à la force, je fus conduit sur la petite Ile d'Orus, où se trouvait le tombeau des Français. Je fus saisi d'effroi à la vue de ce séjour sépulcral, ainsi qu'à la féroce brutalité des chirurgiens hollandais. Si le malade refusait le breuvage qu'une main mercenaire lui présentait : on le meurtrissait de coups de rotin jusqu'à ce qu'il l'eut avalé. J'ai vu pousser la barbarie jusqu'à lui mettre le pouce sur la gorge pour le faire expirer plus vite. La nourriture ne consistait qu'en un peu de riz cuit avec des jeunes poulettes très communes dans ce pays, aliment qui n'était absolument qu'une bouillie claire et pas du tout nourrissante. Je restai six mois dans cet infernal séjour évitant soigneusement de me plaindre d'aucun mal, afin de ne pas boire dans la coupe de la mort : qu'on ne croye pas que j'exagère la cruauté des Hollandais de Batavia, mille témoins peuvent attester le nombre des victimes français qu'ils ont sacrifié.

Après six mois d'angoisses mortelles, on me transporta (presque mourant) sur un brancard, à bord d'un parlementaire destiné pour l'Ile de France, j'étais tellement accablé, que je ne me reconnus qu'après quelques jours de mer. Alors on me raconta que j'avais été préservé du plus grand danger : on avait laissé les sabords ouverts pour donner de l'air aux malades dont le parlementaire était encombré. Un violent grain fit tellement incliner le navire que l'eau entra par les sabords et submergea plusieurs de ces malheureux. J'aurais infailliblement subi le même sort, sans le secours de quelques camarades qui bravèrent le danger pour me sauver. Ce ne fut que plusieurs jours après que ces amis m'instruisirent du service qu'ils m'avaient rendu, et dont je n'eus aucune connaissance pendant l'événement, enfin ayant totalement repris mes sens, je m'aperçus que ma tête était remplie de vermine ; il fallut me faire couper les cheveux, que je regrettais infiniment, car je les avais très beaux.

Il ajoute que sur 540 marins qui étaient dans les prisons « 50 seulement survécurent aux combats, à la maladie et aux traitements barbares des hôpitaux hollandais ».

On appelait cartel d'échange le troc des prisonniers en vertu d'un barème établi le 4 Thermidor An 13 : un capitaine de vaisseau était évalué à 15 hommes ; un capitaine de frégate à 8 ; un lieutenant de vaisseau à 6 ; un enseigne à 4 ; un aspirant ou un capitaine de navire marchand à 3 ; un lieutenant ou officier marinier à 2. Un pour un pour les matelots...

Il est ordonné au Citoyen Joachin Dieu premier
Officier du Corsaire la Confiance que je commande, de prendre
le Commandement de la prise de Kent, pour la conduire
à l'Isle de France sous le commandement et l'Escorte
du Corsaire. Il lui est enjoint d'obéir exactement aux
ordres qui lui seront donnés, sous peine de Responsabilité personnelle

Il est possible que quelque cas imprévu m'engagent à
passer à Bord de la prise qu'il commande pour en prendre
moi-même le commandement. Aussitôt que je lui en ferai
le Signal il manœuvrera pour m'y recevoir.

Si par quelque cas imprévu la prise se séparoit du
Corsaire, le C.en J. Dieu feroit la route la plus courte
pour se Rendre à l'Isle de France, ayant grand soin de se
mettre en latitude du grand Port à cent cinquante lieues à
l'Est de l'Isle Rodrigue; de courir sur ce même parallèle
jusqu'à vue de terre; de prendre langue à l'Isle de la passe
par les signaux seulement en cas que les Ennemis ne soyent
pas en présence de l'Isle ce qui lui sera annoncé par
l'Isle de la passe si elle arbore un pavillon National; Si au
contraire elle mettoit un pavillon Rouge cela annonceroit que
les Ennemis sont à vue de l'Isle. Dans ce dernier cas la
Prise iroit mouiller sous la protection de ladite Isle la pas...
Si on appercevoit l'Ennemi à quelque lieues à l'Est de
l'Isle de France et qu'il jugeat impossible d'aller au
grand Port, il feroit route pour aller mouiller en Rade de
St. Paul Isle de la Réunion, passant au sud de ladite Isle

Il est possible que la prise et le Corsaire s'étant séparés s'Rencontrassent au vent de l'Isle de France. A l'appar...
de la prise le Corsaire mettra en panne et bassera voile carguée
et faisant ses signaux de jour.

Dans le cas de séparation d'avec le Corsaire le C.en
Dieu prendra fuite à la première apparition de n'importe quelle
voile.

la chasse aux trésors

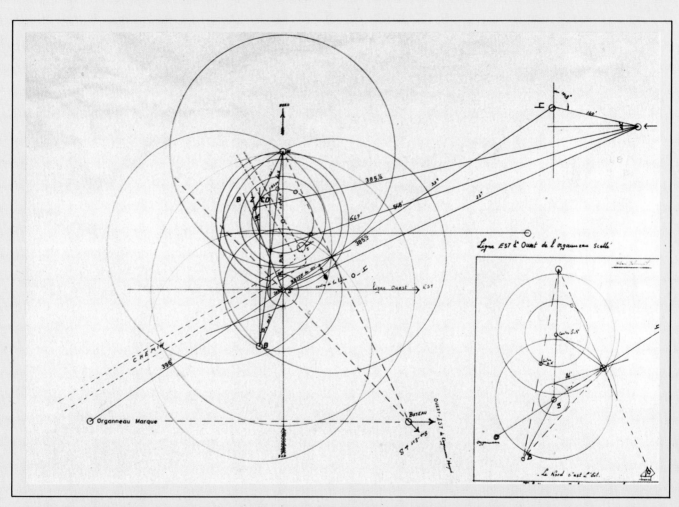

Relevé établi par arpenteur en 1936, selon les données d'un vieux plan dit de Nageon de l'Estang et en faisant intervenir les coordonnées (signes gravés dans des rocs) retrouvés sur le terrain des fouilles à Belmont, dans le nord de l'île.

Les histoires de trésors n'ajoutent rien à l'histoire des îles, mais on ne saurait en nier l'attrait même si trop souvent l'absence de pièces d'or, sonnantes et trébuchantes, décourage plus facilement l'historien que le chasseur de trésor. Les pirates qui ont longtemps écumé l'Océan Indien jusqu'au premier tiers du 18e siècle, ont souvent fait escale à l'île Maurice alors qu'elle était déserte ou que les Hollandais n'avaient pas les moyens de s'y opposer. Les sanglants et parfois fabuleux exploits des forbans rempliraient un gros volume. N'eurent-ils pas à Madagascar des « royaumes » et une « république » qui s'appelait Libertalia, fondée par un moine qui abandonna son froc pour le drapeau noir.

L'un d'eux, Avery, enleva une princesse mongole qu'il épousa tandis que l'un des plus célèbres, Olivier Le Vasseur dit la Buse, capture la Vierge du Cap, chargé de richesses avec le vice roi de Goa, à son bord. Et que d'autres aventures où le sang ruissela et les coffres se remplirent ! Un certain nombre de forbans jugèrent bon de s'établir à l'île Bourbon après leur pardon pour tenter de devenir d'honnêtes colons, ce qui n'empêcha point le Gouverneur Desforges, en 1724, d'écrire en France qu'ils périssaient de misère « quoi qu'ils ayent quantité de diamants bruts qui ne leur servent à rien ». Mais ils n'avaient pas d'argent... Quant à La Buse, il fut capturé à Madagascar, jugé et pendu à l'île Bourbon où l'on voit toujours sa tombe.

Où donc ont passé l'or et les diamants des « royaumes » et de la « république »... Les magots amassés par ces « gentilshommes de fortune », qui n'avaient point de coffres en banque et n'avaient pu ou voulu rentrer au bercail, « fortune faite aux îles », comme d'honnêtes cadets de famille. « Il n'y a que le diable et moi à le savoir et le dernier vivant aura le tout », disait le fameux Capitaine Teach, écumeur de la Mer des Antilles. Alors,... le souvenir des magots perdus, enfouis dans quelque crique déserte des îles de l'Océan Indien, fait courir les chercheurs de trésors.

* * *

« C'est ici que j'ai enfoui mes richesses... celui qui les trouvera chantera pendant de nombreux jours... » C'est l'inscription trouvée sur une plaque entre les racines d'un grand arbre qu'on avait abattu. Mais là comme ailleurs, les vieilles pipes et les couteaux rouillés, les débris de poterie et les signes mystérieux, ni même les squelettes, n'ont fait chanter d'allégresse les chercheurs infatigables. Même si les chants désespérés sont les chants les plus beaux... L'on dira cependant que les grandes joies sont souvent muettes et que dans les îles, l'on parle parfois de fortunes faites jadis soudainement et mystérieusement avant la vogue de la Loterie Nationale ! Sait-on jamais...

L'île Maurice eut ses chercheurs solitaires et ses sociétés de trésor dont les actions centuplaient du soir au matin pour redégringoler du matin au soir ! Elle eut ses chercheurs amateurs ou professionnels qui maniaient le pic, le pendule ou des appareils sophistiqués. On remua la terre et le roc à Klondyke (sans que le nom portât bonheur !), à Tamarin, à la Cambuse, à Bambous Virieux, à Belle Isle, à Belmont et à Petite Rivière. Il est à remarquer que l'on retrouva les mêmes « signes » dans ces trois derniers lieux ; ce qui indiquerait la répartition d'un magot commun en trois cachettes et impliquerait, selon l'opinion d'un érudit chercheur de trésor, que la découverte d'une cachette amènerait celle des deux autres, en raison de mêmes cordonnées. Assurément incomplètes à ce jour... Mais la pioche du chercheur infatigable qui, depuis plus de trois ans, remue le sol dans le nord ouest de l'île, près de la Baie du Tombeau, n'a fait tinter jusqu'ici que le roc. Ni doublons ni pièces de huit...

L'HERITAGE D'UN FORBAN

Le pirate anglais Guillaume (William) Noble était l'un de ces forbans qui avaient obtenu leur pardon à l'île Bourbon. Il mourut à bord du Triton, qui rentrait à Lorient, en mars 1722. L'on procéda à l'inventaire de ses effets et de deux sacs dûment cachetés et numérotés, au bureau de la Compagnie des Indes. (Inventaire provenant des Archives du Morbihan et reproduit dans la Revue Rétrospective. Editée par Noël Régnard).

« Dans le sac numéroté c'est la quantité de huit cent une piastres qu'on nous a fait remarquer avoir été rognées et altérées et ne devoir point être du poids ordinaire des dites espèces pesant ensemble quatre vingt sept marcs, plus s'est trouvé dans le dit sac un autre sac dans lequel se sont trouvées cent vingt pièces d'argent, communément nommées Risdal (ryals ?) et quatre demie risdal pesant treize marcs trois onces. Plus un barreton et deux petits morceaux d'argent fondu dont on ne connaît ni la loi ni le titre, pesant sept marcs une once. Dans un autre petit sac renfermé pareillement dans le grand, avons trouvé une montre d'Angleterre à double boîtier d'argent, faite par Chamberlin, sans chaîne, et plusieurs petites espèces de différentes monnaies pesant deux marcs.

« Avons fait ensuite l'ouverture du sac numéroté 2 dans lequel s'est trouvé la quantité de six cent quatre vingt dix sept piastres et demie, pesant ensemble soixante quinze marcs sept onces, et douze cent trente deux pièces de monnaie d'or, de différentes valeurs, poids et pays, pesant ensemble dix huit marcs cinq onces ; s'est trouvé aussi dans le sac numéro 2 un petit morceau de toile peinte dans lequel était renfermé un gros anneau d'or, et deux autres petits propres à mettre au

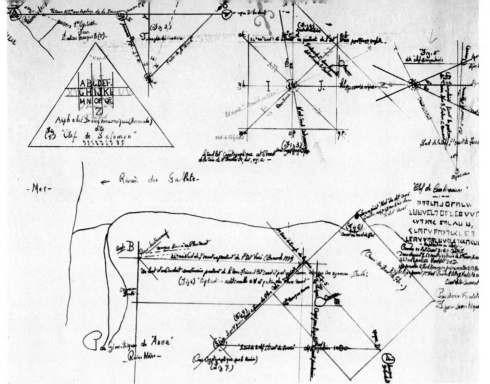

Ce plan, fait en 1925, donne le déchiffrage d'un cryptogramme avec l'aide des fameuses « clavicules de Salomon ». Clefs mystérieuses. A noter sur ce plan le « triangle des corsaires ». On essaya de transporter ce plan sur plusieurs terrains où des fouilles furent entreprises.

doigt et quelques petits morceaux de poudre d'or, le tout pesant trois onces deux gros, et un petit morceau de linge blanc renfermant trois petits diamants blancs, dont deux sont enchassés dans de l'or, etc... »

Tout cela acquis au prix de combien de rapines et de sang ! D'autres pirates ramassèrent un butin prodigieux au cours de leur croisière sous le drapeau noir. Selon l'expression pittoresque de Garnier du Fougeray « *ayant viré leur drap mortuaire à la drisse de flamme...* ». Etendard funèbre qui terrorisait les navires marchands dont ils s'approchaient.

JUGEMENT DU PIRATE LA BUSE
(extrait des Archives départementales de la Réunion)

Le 7 juillet 1730, Olivier le Vasseur dit la Buse, l'un des plus célèbres pirates de l'Océan Indien, fut jugé, condamné et pendu !

« ...pour réparation de quoy, le Conseil l'a condamné et condamné à faire amende honorable devant la principale porte de l'Eglise de ditte paroisse, nud en chemise, la corde au col et tenant en sa main une torche ardente du poids de deux livres pour, là, dire et déclarer à haute et intelligible voix que méchamment et témérairement il a fait pendant plusieurs années le métier de forban dont il se repent, et demande pardon au Roy et à la Justice.

Ce fait sera conduit sur la place publique pour y estre pendu et étranglé jusqu'à ce que mort s'ensuive à une potence qui pour cet effet, sera plantée à la place accoutumée, son corps mort y rester 24 heures et ensuite exposé au bord de la mer, etc... »
La tombe de La Buse se trouve à Saint Paul, à la Réunion.

LE FABULEUX TRESOR DE NAGEON DE L'ESTANG

Fils d'un officier de la Compagnie, il fut forban et... officier de marine ! Propriétaire de plusieurs trésors épars dans diverses îles de l'Océan Indien, il laissa un héritage plus tangible sous les espèces de nombreux documents et d'abondantes lettres dont les dernières datent de la fin du 18e siècle. Quelques précisions sur les deux trésors enfouis à l'île de France. Encore faut-il que tous les documents soient authentiques...
« *Remonte la falaise allant vers l'est, à l'endroit indiqué par mon testament,* écrit-il à son neveu. *A 25 ou 30 pas est, conformément aux documents, tu trouveras les marques indicatives des corsaires pour établir un cercle dont la rivière est à quelques pieds du centre. Là est le trésor.
... Par une combinaison étrange les figures cryptographiques donnent à ce point pour nom B N* » (note : pour Bernardin ou Bernardin Nageon).

Nageon avait une concession de 156 arpents dans le sud de l'île de France, dans une région du Grand Port que traverse la Rivière la Chaux. C'est là que serait enfoui le fabuleux magot rapporté de l'Indus *(trois barriques en fer et jarres pleines de doublons monnayés et lingots de trente millions et une cassete en cuivre remplie des diamants des mines de Visapour et de Golconde...* » Concession léguée à un neveu qui précise : « *J'ai remonté une rivière et déposé dans un caveau les richesses de l'Indus et marqué B N mon nom* ».

Puisque même Roger Charroux, mort en 1978, président de la Société des Chercheurs de Trésors, a fait de vaines recherches, tous les espoirs sont permis... à ceux qui sont toujours pleins d'espoirs !

Ainsi pourraient-ils s'aider de ces indications qui proviennent de Nageon de l'Estang :
*Pour une première marque une pierre de p.g.t.
En prendre la 2e V. La faire S Nord un cullot de même.
Et de la source Est faire un angle comme un organeau la marque sur la plage de la source.
Pour une marque U passé à la gauche.
Pour la chacun de la marque Bn She - la frottez contre la passe, sur quoi vous trouverez que penser.
Cherchez S faire Xldo-m de la diagonale dans la direction du comble du commandeur.*
Et voilà !

Le 22 juillet 1832 une foule considérable envahit sa demeure, l'acclame et demande qu'il consente à ce que sa fille fut adoptée par la colonie et porta le nom de Mauricia.

Tableau appartenant à Madame F. Roux (Villefranche).

Adrien d'Epinay
1794·1839

Adrien d'Epinay
Tableau en possession du Comte Alain d'Epinay (Le Puy)

Le nom d'Adrien d'Epinay sera toujours associé à cette île Maurice — Ile de France à sa naissance — dont il est l'un des plus illustres fils. Avocat et homme politique, il obtint des Britanniques la création d'un Conseil de Gouvernement ou siégeraient les représentants des colons, et la liberté de la presse dont le *Cernéen* qu'il fonda en 1832, se fit le champion. Propriétaire de sucrerie, on lui doit l'introduction du premier moulin à vapeur. Chargé de défendre les intérêts des planteurs à Londres contre les anti-esclavagistes qui voulaient abolir l'esclavage sans aucune compensation aux planteurs, ce qui aurait amené la ruine de l'industrie sucrière et porté un coup terrible à l'économie de l'île, il obtint gain de cause. Il joua également un rôle de premier plan quand il s'agit d'obtenir pour les sucres mauriciens une réduction de ces droits d'entrée en Angleterre qui avantageaient les Antilles anglaises au détriment de l'île Maurice.

La statue d'Adrien d'Epinay, à la Place d'Armes, est l'œuvre de son fils Prosper dont le talent avait fait le « *sculpteur des Rois et des Reines* ». Plusieurs grands musées européens ont acquis des œuvres de Prosper d'Epinay. C'était aussi l'ami du Prince de Galles, le futur Edouard VII, dont on admire la statue au Champ de Mars à Port Louis. Sa *Jeanne d'Arc au sacre* se trouve à la Cathédrale de Reims. Il fut aussi sans doute l'unique sculpteur caricaturiste du siècle et son *Entente Cordiale* qui représente l'Empereur Napoléon III et le Ministre Palmerston se donnant le bras tout en s'observant, suscita beaucoup d'attention amusée des deux côtés de la Manche.

Les d'Epinay avaient quitté Maurice pour la France en 1839. Les recherches entreprises par le *Cernéen* amenèrent les retrouvailles du journal cent quarante et un ans après sa fondation, avec les descendants directs d'Adrien d'Epinay. Ils ignoraient si le *Cernéen* existait toujours et ce dernier ne savait pas où se trouvaient les d'Epinay en France...

(« Vacances à l'Ile Maurice en 1800 » : *Extrait du livre de Prosper d'Epinay, sur la famille d'Epinay et dédié à son fils Georges. Paris 1893*).

L'arrivée de mon père à Belle Mare (*) était pour ainsi dire le signe des amusements. Elle coïncidait avec la réunion annuelle des familles de Rune et Le Breton de la Vieuville, qui avait lieu à l'époque de la coupe des cannes à sucre, ces vendanges de nos colonies.

Pendant plusieurs semaines consécutives, c'était chaque jour des parties nouvelles : cavalcades folles tout le long des rivages, sur une pelouse sans fin ; chasses en mer, en plaine, en forêt ; déjeuners champêtres dans les vergers ou dans les bois ; dîners aux flambeaux au bord de la mer, avant la classique pêche au batatran (**) à laquelle, jambes nues, petits et grands prenaient part. Souvent la bande joyeuse se rendait au Trou d'Eau Douce, source pittoresque sortant au milieu de l'eau salée ; ou bien elle allait visiter la caverne d'un propriétaire voisin, M. de Kerjean (petit-fils d'un des officiers de La Bourdonnais et neveu de Dupleix) dans laquelle on s'engouffrait, en tremblant avec des torches. Elle était si profonde cette caverne qu'elle communiquait au loin avec la mer qu'on entendait mugir. C'était aussi la chasse aux singes, lesquels descendant des hauteurs boisées, venaient en bande dévaster les plantations. Parfois le soir au son du violon, de la harpe et du clavecin, on dansait sous des « salles vertes » (***) improvisées. Enfin, la nuit, les plus grands faisaient à la lueur des torches portées par des noirs l'émouvante et souvent dangereuse pêche au harpon, sur les récifs, là où les vagues furieuses de l'Océan viennent se briser en écumant.

(*) *Au bord des plages admirables. Aucune mention de bains de mer dans le texte...*

(**) *Longues lianes que l'on lie pour en faire un filet. Mode de pêche aujourd'hui défendu.*

(***) *Terme colonial pour désigner des tentes immenses tapissées de feuilles de palmier et décorées de fleurs que l'on dresse à côté des demeures pour accueillir de nombreux invités pour les mariages. La tradition continue à l'île Maurice.*

Les débuts de la presse à l'île de France datent de 1773, avec un hebdomadaire commercial Annonces, Affiches et avis divers pour les colonies des Isles de France et de Bourbon. Une dizaine de publications – sans aucun quotidien – se succédèrent jusqu'à la prise de l'île en 1810. De nature commerciale, littéraire ou politique. La liberté de la presse acquise à la révolution, fut souvent un vain mot! Mais elle s'exprima à nouveau dans Le Cernéen créé par Adrien d'Epinay en 1832. Hebdomadaire jusqu'en 1835, le Cernéen parut trois fois la semaine pour devenir quotidien en 1852. Il est sans doute le deuxième plus ancien quotidien de langue française au monde et sa publication ne connut aucune discontinuité.

(Année 1833.)   (N° 107.)

Ce Journal paraît les mardi et vendredi de chaque semaine. — Le Bureau est ouvert tous les jours, de 9 heures à 3.

On s'abonne au Bureau du Journal, rue Desforges. — Prix d'abonnement : trois piastres par trimestre, payables d'avance.

LIBERTAS SINE LICENTIA.

LE CERNÉEN,

ou

PETITE REVUE AFRICAINE.

VENDREDI, 25 JANVIER 1833.

PORT-LOUIS.

Le navire *Livingston*, parti de Liverpool le 21 Octobre, arrivé le 21 courant, et le *Royal Georges*, parti de Londres le 16 Octobre, arrivé le 22 du courant, nous portent des nouvelles jusqu'au 19 Octobre.

M. Jérémie n'était pas encore arrivé, mais on connaissait tous les évènemens qui s'étaient passés jusqu'au moment où son départ fut résolu. Comme nous devions nous y attendre, les journaux, selon leur couleur et le parti auxquels ils appartiennent, parlent en sens divers de notre conduite. Le premier qui nous soit tombé sous la main est le *Times*, dont nous donnons l'article en entier. Répond-il réellement à deux correspondans comme il le dit, ou bien, ce qui nous semble probable, avait-il besoin de créer des suppositions pour les combattre. C'est ce que nous n'avons pas besoin d'examiner. Les hommes qui ont de l'expérience, qui connaissent les affaires et qui savent que le *Times* est un organe du ministère, ne verront, dans son opinion, rien qui puisse nous alarmer. Elle porte d'un bout à l'autre sur une pétition de principe. On dirait qu'il prépare lui-même les meilleurs argumens en notre faveur, pour le moment où la question sera rétablie comme elle d it l'être. Nous aurions voulu avoir plus de temps et d'espace pour le démontrer.

Le *Courier*, autre journal ministériel, contient un

grande somme de produits possibles, sans qu'il soit permis à l'esclave d'exprimer la moindre plainte, ni le plus petit sentiment de mécontentement, et il suppose que le public anglais doit sympathiser pour toujours avec une telle forme et un tel état de société. Dans la manière de voir de notre correspondant, les Planteurs de l'île de France étaient disposés, envers la population esclave, à un excès de bonté, que l'intervention de la métropole, qu'elle ne faisait valoir que dans l'intérêt de l'opprimé, a converti en mécontentement et en ingratitude. L'esclave, à ce qu'il lui paraît, est comme l'agriculteur de *Virgile*, heureux, sans connaître son bonheur, et il n'est devenu misérable que depuis qu'il a obtenu un protecteur de ses droits méconnus. Après avoir ainsi représenté les esclaves comme satisfaits de leur sort, notre correspondant omet entièrement qu'ils forment un élément important de la société, et considérant le propriétaire des cannes à sucre et des bandes de noirs, comme le seul habitant d'une colonie, il compare la résistance violente opposée à l'Ordre en Conseil et au débarquement de M. Jérémie, à la lutte contre la tyrannie des bourgs-pourris dont le peuple d'Angleterre vient de sortir victorieux.

" Pour que nous ne puissions pas être accusés d'analiser infidèlement la lettre de notre correspondant, que nous n'insérons pas faute d'espace, nous en donnerons une courte esquisse. En premier lieu, il établit qu'avant l'arrivée de l'Ordre en Conseil, le Gouvernement de Maurice était un modèle de Gouvernement colonial ; que les esclaves y étaient les plus heureux esclaves du monde ; et que la conduite des maîtres pouvait être donnée en exemple à tous les propriétaires d'esclaves des colonies. 2. Il assure que les dispositions de l'Ordre en Conseil,

Paul et Virginie

Ce roman de Bernardin de Saint Pierre est le chef d'œuvre du romantisme colonial. Bien que le mot ne vint qu'après l'idylle. On chercherait en vain dans l'abondante littérature exotique une œuvre qui ait fait couler tant de larmes... Si le lecteur, arbitre principal du tirage, est le seul juge du talent et que faire pleurer en demeure l'élément essentiel, *Paul et Virginie* serait l'un des chefs d'œuvre de la littérature française. Mais soyons justes, ce roman a d'autres qualités. D'innombrables éditions depuis 1787 et de nombreuses traductions ont popularisé l'histoire de cette jeune fille qui périt dans un naufrage et de ce jeune homme qui mourut de chagrin dans cette lointaine île de France que Bernardin de Saint Pierre plaça sur cette nouvelle Carte du Tendre d'une fin de siècle qui après beaucoup de sang versé, s'ouvrait au romantisme.

BERNARDIN DE SAINT PIERRE (1737-1814)

Une longue vie aventureuse d'homme et d'écrivain. Il naquit au Havre d'où il partit tout jeune comme pilotin pour la Martinique. Il sert comme officier ingénieur dans l'armée du Rhin en 1760. Voyage à Malte et en Hollande. Séjour en Finlande et en Russie où sa prestance, dans le jeu des rivalités de cour, fut remarquée par la Grande Catherine qui avait pour amant le Prince Orlof. Séjour en Pologne où il connaît bonne fortune et vif succès dans la brillante société polonaise. Il devient l'amant de la Princesse Radziwill. C'est dans cette Pologne que selon son biographe Aimé Martin « la volupté, l'amour et l'ambition l'embrasent de tous leurs feux ». Mais la princesse finalement décline de l'épouser.

Il passe en Allemagne où il se fait enlever par une courtisane. Refuse le mariage avec la fille du conseiller du Roi ; elle s'appelait Virginie ! Bernardin de Saint Pierre rêvait jeune d'exploits militaires qu'il ne connut pas malgré ses engagements à Malte, en Pologne et en Russie. En 1760 il fut envoyé à l'armée du Rhin au cours de la Guerre de Sept Ans où il ne participe qu'à une action. « Ennuyé de voir la paix me suivre partout... », écrivit-il quand il demanda son congé. C'est vrai que ses fonctions le tenaient assez loin du champ de bataille car il appartenait au corps des ingénieurs que les soldats appelaient avec quelque dérision *les Immortels*.

C'est le 18 février 1768 qu'il s'embarque pour l'île de France avec un brevet de capitaine ingénieur. Son chien *Favori* l'accompagne sur le *Marquis de Castries*.

Il passa trois ans dans la colonie qui nous vaut ce *Voyage à l'isle de France et à l'isle de Bourbon, au Cap de Bonne Espérance par un officier du Roy* qui paraît en 1773 et dont la vente fut subséquemment interdite dans les deux îles. Il ne tarde guère à se brouiller avec l'Intendant du Roi, Pierre Poivre dont il essaie vainement de séduire la jolie et vertueuse épouse.

A son retour à Paris il fréquente les philosophes et se lie avec Jean Jacques Rousseau : « Dès que je le connus je l'aimais avec passion ». Ils avaient tous deux en commun l'amour de la nature et leur aversion pour la société contemporaine les faisait rêver d'une autre. En 1772 il est nommé professeur de morale à l'Ecole Normale Supérieure. Il caresse toujours des projets utopistes de colonisation au Canada et en Caroline comme il avait jadis soumis de semblables projets pour la Finlande à la Grande Catherine ! C'est en 1784 qu'il publie *Les Etudes de la Nature*, le grand ouvrage de sa vie. Succès immédiat du livre. A 56 ans il se marie avec Félicie Didot. « Mon âme fatiguée par la corruption des villes, lui écrit-il, se repose sur la vôtre, douce, pure, solitaire, aimante, comme un voyageur sur un gazon frais... » Nommé Intendant du Jardin des Plantes en 1792, il se remarie à 61 ans après la mort de sa femme, avec une toute jeune fille, Mademoiselle de Pellepore qui, après sa mort, devait épouser le secrétaire de son mari, Aimé Martin qui fut aussi son biographe. Les enfants qu'eut Bernardin de Saint Pierre de ce mariage s'appelèrent Paul et Virginie... Ils moururent jeunes.

Les qualificatifs ne manquent pas pour juger l'homme et l'œuvre. Aventurier, professeur de morale, intrigant, homme d'argent, prêcheur utopiste, il avait aussi assez mauvais caractère ! Ce beau prêcheur ne fut pas toujours un bon apôtre. Mais il était sensible, ami fidèle. Fort épris de justice, il rêvait d'une société idéale dont il nous a tracé l'image dans ses livres. Ses soucis d'argent avant la gloire et l'aisance, en firent un grand quémandeur de toutes sortes d'avantages : pension, honneurs, emploi, terres. « Obtenez-moi un trou de lapin pour passer l'été à la campagne ». A le lire sa situation était fort désespérée puisque « non seulement je ne peux pas offrir à qui que ce soit une bouteille de vin » et que même « le port d'une lettre me dérange... »

L'impact de son œuvre fut considérable sur son temps. S'il doit beaucoup à Jean Jacques Rousseau, d'autres écrivains pour ne mentionner que Chateaubriand et Lamartine, lui ont une dette. Citons les deux vers du poète :

Il tenait dans la main ce livre où tant de pleurs
Coulent du cœur de Paul et des yeux des lecteurs...

Quant à Madame Bovary « *elle avait lu Paul et Virginie et elle avait rêvé la maisonnette de bambou, le nègre Domingo et le chien Fidèle...* »

Son œuvre après deux siècles, a subi du temps de réparables outrages... Oublions la religiosité moralisante, l'utopie, le sentimentalisme parfois larmoyant du romancier pour retenir les admirables tableaux que trace le naturaliste et le voyageur et qui suffisent à le ranger parmi nos grands écrivains.

Mais sans doute convient-il de souligner, on l'a peu fait jusqu'ici, l'attrait considérable de *Paul et Virginie* sur les artistes. Des peintres célèbres comme Girodet, Moreau le jeune, Prodhon ont traité le sujet et il est peu d'œuvres qui aient inspiré autant de talents divers.

Jacques Henri Bernardin de Saint Pierre (1737-1814).
Ami des philosophes et de Rousseau. Séjourna à l'île de
France (1768-70) qui lui inspira son célèbre roman
Paul et Virginie.

Bernardin de Saint Pierre connut-il une authentique
Madame de La Tour? C'est ce qu'affirme un Mauricien établi
à Paris, Alfred Harel dans un article paru dans le Cernéen
au début de ce siècle, en faisant foi de documents authentiques...
« Ma grand-mère le tenait de son père François Couacaud,
originaire de Rochefort, qui exerçait la médecine à la Montagne
Longue de 1770 à 1805, qui fut le médecin et l'ami
de Madame de La Tour, et qui connut Bernardin de Saint Pierre
à l'île de France ». Madame de La Tour aurait donc vraiment
vécu sur une plantation à l'île de France. Sa ravissante fille
Gillonne épousa son ami d'enfance Gaspard Bernard
le 7 octobre 1760 aux Pamplemousses. L'écrivain en fit
Paul et Virginie et leur donna un destin différent! qui fut
on le croit − avec des variantes puisqu'ils périrent dans
le naufrage − celui de Mesdemoiselles de Mallet et Caillou
et de leurs soupirants. Paul et Virginie... cocktail d'authentiques
amours heureuses et tragiques! Tandis que l'auteur
de la gravure (ci-dessous) mêla le mariage et le naufrage :
il aurait à moitié raison...

Gravure de Pont à Mousson (1848). Dénouement inattendu : Paul sauve Virginie du naufrage : ils eurent beaucoup d'enfants! (Collection de l'auteur)

PAUL ET VIRGINIE

HISTOIRE DE PAUL ET VIRGINIE
DÉDIÉE A LA JEUNESSE.

IMAGERIE NOUVELLE

PLANCHE N° 241

Air: *Deux Enfants s'aimaient.*

Chantons l'histoire véritable
De ces deux enfants ingénus;
Célébrons ce couple aimable,
Les sentiments et les vertus;
Tendre amitié charmait leur vie,
Loin de nous et de notre sol;
Paul existait pour Virginie,
Virginie existait pour Paul.

Bientôt une fatale épreuve
Subit Madame Delatour;
Hélas! elle était déjà veuve,
A sa fille en donnant le jour.
Elle vint de Marguerite en pleurs,
Auprès de Marguerite en pleurs,
Au sein de ce réduit stérile,
Delatour comptait ses malheurs.

Paul courait avec Virginie,
Un jour au sein de leur désert,
Où, par une douce harmonie,
Leurs cœurs s'unissaient de concert.
« Où sommes-nous? Dieu! quel orage,
S'écrièrent-ils à la fois,
Ciel! au fond de ce marécage,
Mon cher Paul, nous voilà perdus.

« De tous côtés l'éclair sillonne,
Faut-il donc subir le trépas!
Sa Virginie, hélas! frissonne;
Que resteras-tu donc là-bas? »
Ah! sauvons-nous. Pourquoi, ma chère?
C'est un nègre souffrant et vieux;
Courons, de l'affreuse misère,
Il faut sauver ce malheureux. »

Ce couple auprès du nègre arrive,
Il ne craignait plus de danger;
Virginie aussitôt se prive,
Pour lui donner vite à manger;
Puis au courant d'une onde pure,
Elle va tendre ses deux mains;
« Tout, buvez, c'est la nature
Qui nous prodigue tous ses biens.

Le plaisir qu'on goûte à bien faire,
Leur offrait un plaisir nouveau,
Quand ils virent de la bruyère,
De nègres sortir un troupeau;
Pour marquer leur reconnaissance,
Ils s'empressent de toutes parts;
Pour célébrer la bienfaisance,
De feuillage ils font un brancard.

Paul et sa généreuse amie,
Par les noirs sont couverts de fleurs;
Ce triomphe digne d'envie,
D'amour fait verser des pleurs.
Retrouvant Paul et Virginie,
Qu'il cherchait depuis longtemps,
Domingue, à leur famille unie,
Court annoncer ces deux enfants.

Comme ils séchaient les tendres larmes
De leurs mères pour leurs douleurs,
Ils croyaient n'avoir plus d'alarmes
Chacun oubliait ses malheurs;

Le bon naturel de Paul et Virginie se développait dans toutes leurs actions. Un dimanche, leur mère étant à l'église, une négresse se présenta sous les bananiers qui entouraient leur habitation, et ayant aperçu Virginie qui préparait le déjeuner de la famille, elle se jeta à ses pieds : Ma jeune demoiselle, lui dit-elle, ayez pitié d'une pauvre esclave, demi-morte de faim, souvent poursuivie par les chasseurs et par leurs chiens; je fuis mon maître qui m'a traitée comme vous voyez. « En même temps elle lui montra son corps sillonné de cicatrices par les coups de fouet qu'elle avait reçus. Elle ajouta: « Je voulais aller me noyer; mais, sachant que de bons blancs demeuraient dans ce pays, je me suis dit : il ne faut pas encore mourir, » Virginie, toute émue, lui répondit : « Rassurez-vous, tenez, mangez, mangez, » et elle lui donna le déjeuner qu'elle avait apprêté. L'esclave en peu de temps le dévora tout entier. Quand il fut rassasié, lui dit: « Pauvre misérable! j'ai envie d'aller demander votre grâce à votre maître; en vous voyant, il sera touché de pitié. Voulez-vous me conduire chez lui ? — Ange de Dieu, repartit la négresse, je vous suivrai partout où vous voudrez. » Virginie appela son frère et le pria de l'accompagner. L'esclave les conduisit par des sentiers au milieu des bois, à travers de

hautes montagnes, qu'ils franchirent avec bien de la peine, et de larges rivières qu'ils passèrent à gué. Enfin, après de longues marches et bien des fatigues, ils arrivèrent sur les bords de la Rivière-Noire, et aperçurent l'habitation du maître de la négresse, qui se promenait, la pipe à la bouche et un rotin à la main, au milieu d'un grand nombre d'esclaves occupés à divers travaux. Virginie, toute émue, tenant Paul par le bras, s'approcha de l'habitant, et le pria pour l'amour de Dieu de pardonner à son esclave, qui était à quelques pas de là. D'abord l'habitant ne fit pas grand compte de ces enfants pauvrement vêtus; mais quand il eut remarqué la taille élégante de Virginie, et qu'il eut entendu le doux son de sa voix qui tremblait en lui demandant grâce, il ôta sa pipe de sa bouche, et levant son rotin vers le ciel, il jura, par un affreux serment, qu'il pardonnait à son esclave. Virginie aussitôt fit signe à l'esclave de s'avancer vers son maître, et elle s'enfuit avec Paul pour regagner leur demeure, où ils ne purent arriver qu'à la chute du jour, aidés de quelques nègres qui, les ayant reconnus pour les avoir vu passer le matin avec la négresse dont ils allaient demander la grâce, voulurent les porter eux-mêmes, afin de leur témoigner leur reconnaissance de la bonne action qu'ils venaient de faire.

Ces deux amants dans leur ivresse,
N'avaient qu'un amour et qu'un cœur
Franche amitié, vive tendresse,
Leur procuraient le vrai bonheur.

De la France arrive une lettre,
Qui changea tout à leurs destins,
Delatour fit bientôt connaître
De sa tante les grands desseins.

CONTENU DE LA LETTRE

« Je veux vous aimer pour la vie,
Et grossir de beaucoup vos biens;
Si vous m'envoyez Virginie,
Je vous ferai don des miens. »

VIRGINIE

Comment de quitter ma famille,
Pourrai-je consentir jamais ?

Mme DELATOUR.

Il le faut bien, ma chère fille,
Vous êtes née d'un sang français.

PAUL.

Quoi loin de moi, ma douce amie,
Porteras-tu de faibles pas?
Ah! sans l'amour de Virginie,
Paul préférera le trépas.

Enfin l'on a décidé l'heure,
Le vaisseau prêt, le canon part,
Paul s'agite, il gémit, il pleure
Et précipite son départ;
Pour s'embarquer, il crie, il presse;
La voile enfle, il est sans recours.
Paul éloigné de sa maîtresse,
Ne peut plus goûter d'heureux jours.

Bientôt le plus affreux orage,
Fait trembler les navigateurs;
Se précipitant à la nage,
De la mort on voit les horreurs.
Pour la sauver, il n'est personne,
Virginie erre sur les flots!
Quoique la foudre l'environne,
Paul se jette au milieu des eaux.

Paul trois fois au bord du rivage,
Paul intrépide est repoussé;
Au lieu de perdre courage,
Malgré qu'il fit tout fracasse :
Que je la sauve ou que j'expire,
Dit-il en s'élançant encore...
Par son courage qu'on admire,
Virginie échappe à la mort.

Avec transport chacun s'écrie :
Les voilà qui sont de retour;
Paul a sauvé sa Virginie,
Est-il pour lui de plus beau jour!
La mer s'apaise après l'orage,
Chacun reprend un front serein,
Et par un heureux mariage,
L'amour réunit leurs destins.

Prenez-les toujours pour modèles
Vous amants qui voulez aimer;
Faites vœu de rester fidèles,
Par la franchise et l'amour.
A l'objet qui sait vous charmer,
Servant d'exemple à votre tour,
On vous chantera d'âge en âge,
En parlant du parfait amour.

M. VAGNÉ, Imprimeur-Éditeur à Pont-à-Mousson Déposé

Paul et Virginie demandent la grâce de l'esclave. (Gravure dessinée par Schall, Decourtis graveur.)

L'influence de Bernardin de Saint Pierre fut plus durable sur les artistes que sur les écrivains puisque l'illustration des amours et des malheurs de ses héros n'a pas fini de les tenter. Il semblerait aussi que la constance des lecteurs, moins grande pourtant en ce siècle que dans le précédent, n'est pas encore lassée.

Avec ses défauts et ses qualités, *Paul et Virginie* occupe néanmoins une place particulière dans la littérature française. Il se trouvera toujours des lecteurs pour s'extasier sur les descriptions de la nature tropicale et des âmes sensibles pour verser des larmes sur les malheurs des amants infortunés dont l'amour passionné et pur ne peut manquer d'émouvoir le lecteur le plus blasé. Toute la magie du livre s'écroulerait si Paul avait couché avec Virginie...

La critique eut ses excès : Sainte-Beuve fut généreux et Paul Guth trop sévère. Paul Toinet, le savant collectionneur trouve *« ce récit banal dans son essence faux dans son élément dramatique (la pudeur effarouchée de Virginie l'empêchant de se dévêtir et d'être sauvée de la tempête par un homme nu), larmoyant dans son atmosphère, ennuyeux lorsque l'auteur transparaît en faisant exposer par ses personnages des idées qui lui sont chères »*. Mais il ajoute : *« Et cette suprême indifférence vis-à-vis des rides du temps, sur lesquelles je ne me suis pourtant pas fait faute d'attirer l'attention n'est-elle pas la preuve d'un authentique chef d'œuvre... »*

Le jugement de Malcolm de Chazal, peintre, poète et philosophe mauricien — dont Bernardin de Saint Pierre rencontra l'ancêtre à l'île de France — est très sévère. N'écrit-il pas que Paul est *« le Tarzan délicat des temps passés, d'avant le cinéma, jailli du jabot de dentelles d'un cuisinier des lettres ; la douce Virginie a tout de l'artificiel de la compagne de l'homme singe... »*

Que pensait de Bernardin son plus célèbre contemporain ? Aimé Martin affirme que Napoléon qui avait un jour demandé à l'auteur pourquoi il n'avait pas situé son roman dans les glaces du pôle, lisait souvent Paul et Virginie. Louis Bonaparte assure que *« les Etudes de la Nature reposaient sous le chevet du général en chef comme Homère sous celui d'Alexandre »*. Bernardin n'avait-il pas dépeint Bonaparte pendant la campagne d'Italie *« la foudre d'une main et le caducée de l'autre, volant au-dessus des trônes... »*

Et comment Bernardin de Saint Pierre jugeait son roman ? *Ce petit ouvrage n'est qu'un délassement de mes Etudes de la Nature et l'application que j'ai faite de ses lois au bonheur de deux familles malheureuses »*.

Bernardin de Saint Pierre donna le goût de l'exotisme à beaucoup de lecteurs. L'île Maurice qui accueille aujourd'hui de nombreux touristes, a une dette envers celui qui après l'avoir fait connaître au XVIIIe siècle, éveille encore chez le lecteur, voyageur en puissance, un intérêt sentimental toujours d'actualité. Bernardin, toujours avide d'argent, n'aurait pas dédaigné le rôle de promoteur de tourisme !

L'édition

Des centaines d'éditions et de nombreuses traductions ont consacré le succès du roman dont la remarquable monographie écrite par le collectionneur Paul Toinet, *Répertoire bibliographique et iconographique* (Editions Maisonneuve et Larose, 1963) nous donne la mesure. Toinet possédait la plus belle collection d'éditions publiées depuis 1787, ainsi que des objets divers (assiettes, tasses, éventails, affiches, gravures, tableaux) dont la décoration s'inspire du roman. Quant à la belle collection de Tristan Bernard, elle fut dispersée en 1924.

Plus de 500 éditions dont près de la moitié en traductions, sans oublier l'arménien et l'arabe, l'espéranto et le braille. Au début du siècle, on en vit même une en « dilpok », « langue internationale éclectique » qui

Paul et Virginie retrouvés par Domingue.
(Gravure dessinée par Schall, Decourtis graveur.)

n'a pas survécu à son inventeur, l'abbé Machaud. Paul et Virginie a touché toutes les classes de lecteurs. Editions de grand luxe aujourd'hui très rares et recherchées, comme celle de Curmer publiée en 1838, qui, écrit Toinet, se classe parmi les très grands livres romantiques. Elle contient une très belle étude de Sainte-Beuve. Editions populaires, illustrées ou non, qui se vendaient quatre sous. Edition bijou, de tout petit format, publié en 1829 dans la série des « Romans français dédiés aux dames ». L'édition originale des *Etudes de la Nature* dont le quatrième volume comprend *Paul et Virginie* date de 1787 tandis que la première édition séparée — qualifiée de contrefaçon ! — paraît à Lausanne la même année. Un grand nombre d'éditions du roman sont accompagnées de la *Chaumière Indienne* où l'on retrouve « l'idéal vertueux, humanitaire et bucolique » que prêchait l'auteur.

La première traduction parut à Londres en 1789, sous un titre étrange où le nom Marie remplace celui de Virginie *(Paul and Mary)* accompagnée d'une curieuse précision « an Indian story » ou une histoire indienne. Le nom de Bernardin de Saint Pierre ne paraît pas sur l'ouvrage. La deuxième traduction étrangère est italienne tandis que les Américains entrent en lice en 1794 — toujours avec le titre de *Paul and Mary* et n'oublient pas cette fois de préciser l'auteur. Plusieurs éditions parurent — tardivement — à l'île Maurice. La plus belle est sans contredit celle qui fut imprimée en 1949 par The General Printing, avec des lithographies originales de Hughes de Jouvancourt. Edition limitée à 250 exemplaires numérotés sur velin luxe. Le Gouvernement de l'île Maurice fit imprimer en 1972 à l'occasion de la réunion générale de l'OCAM qui se tint dans l'île deux belles éditions qui avaient repris de nombreuses gravures de l'édition Curmer.

Opéra et théâtre

Paul et Virginie connut les feux de la rampe. Un ballet pantomine en trois actes fut représenté devant Napoléon et Marie-Louise à Saint-Cloud en 1806, avant d'être donné à l'Opéra. Mais avant cette date, dès 1791, les Comédiens Italiens jouaient une comédie en trois actes et en prose. On donna un opéra à Amsterdam en 1793 et même à New York en 1801, avec un « chant de l'esclave » sans doute particulièrement remarqué. Comme on le voit, Paul et Virginie avait rapidement acquis une audience internationale sous le signe des Trois Muses : poésie, danse et musique...

En 1841 l'on voit un drame en cinq actes et six tableaux tandis qu'en 1863, on se distrait d'un vaudeville en un acte. En 1875 nouvel opéra en trois actes et dix tableaux tandis que l'année suivante les deux amants inspirent polka et valse ! Romances et mélodies, comédies et vaudevilles. Décidément tous les genres artistiques. Hergé, le père de Tintin, ne fut pas à l'abri de cette séduction avec son *Popaul et Virginia au pays des Lapinos* (!) aux éditions Casterman. Le vaniteux Bernardin n'en aurait sans doute pas demandé — ni reçu ! — tant d'hommages divers que n'oublia point également le Huitième Art : un premier film tourné par les Américains, businessmen sentimentaux en 1912 et un autre à l'île Maurice en 1923. L'ORTF produisit un feuilleton télévisé en 1976.

Il reste encore après les gravures, les objets divers commémorant l'histoire de Paul et Virginie : tasses, éventails, foulards, tapisserie. Même des bretelles et des menus du restaurant qui existait à la Place Saint-Honoré !

Un tel sujet ne pouvait manquer d'inspirer de nombreux artistes qui illustrèrent de magnifiques éditions ou préparèrent des suites séparées. L'une des plus célèbres et des plus rares est celle du grand dessinateur Schall, gravée par Descourtis en 1795. L'imagerie populaire y trouva son compte et parfois donna un heureux dénouement au célèbre naufrage du Saint Géran ainsi que l'illustre une gravure imprimée à Pont à Mousson au milieu du siècle dernier, où les héros

Visite de Monsieur de Labourdonnais à Madame de La Tour. (Gravure dessinée par Schall, Decourtis graveur)

« se marient et ont beaucoup d'enfants ! » Une autre gravure est d'un goût douteux : l'artiste qui veut être drôle représente « Madame de... et sa fille à l'école de natation »...

Paul et Virginie et les habitants de l'île de France

Le sombre tableau de l'île de France et de « ses noirs gémissant dans l'esclavage » qu'avait tracé Bernardin de Saint Pierre, tout particulièrement dans son Voyage, n'était pas fait pour plaire aux colons et au Gouvernement. On sait que l'ouvrage fut interdit de vente aux îles. L'on relève aussi en 1805, la pertinente réfutation d'une personnalité politique et littéraire de l'île Maurice Charles Thomi Pitot de la Beaujardière : Quelques observations sur l'ouvrage intitulé « Voyage à l'isle de France par un officier du Roy ».

L'esclavage existait dans toutes les colonies et dans de nombreux pays. L'île de France venait de passer de la désastreuse administration de la Compagnie des Indes au Gouvernement du Roi. Elle a souffert assurément de bien des maux et d'abus de toutes sortes. Mais les déboires qu'y connut Bernardin de Saint Pierre pendant son séjour n'ont-ils pas exacerbé ses critiques avec cette exagération qui lui est souvent propre ?

Cette île cruelle ne devient-elle pas quelques années plus tard avec *Paul et Virginie*, un petit paradis où l'esclavage existe toujours ! Mais si le roman se situe chronologiquement avant le *Voyage*, l'écrivain avait eu sans doute le temps d'oublier ses déboires sentimentaux et administratifs... Mais il fut néanmoins le premier de nos agents publicitaires. Les autres îles avides d'attirer les touristes n'offrent rien d'équivalent dans le domaine littéraire et sentimental. Et l'aventure sanglante des pirates, toujours fascinante pour le visiteur, ne vaut pas cette tendre histoire d'amour...

L'île Maurice, ouverte au tourisme, a une dette importante envers celui qui après l'avoir fait connaître à tant de lecteurs, éveille toujours chez le visiteur un intérêt sentimental assez touchant.

Le roman

L'histoire se situe à l'île de France dans la première moitié du XVIIIe siècle. Un jeune gentilhomme qui s'y était établi, Monsieur de la Tour, meurt au cours d'une mission à Madagascar. Il avait laissé à l'île de France une jeune femme qui se trouva veuve avant d'accoucher d'une fille qu'elle appelle Virginie. Elle n'avait pour tout bien qu'une négresse et un lopin de terre.

Mais la Providence chère à Bernardin de Saint Pierre fit Madame de la Tour rencontrer une autre jeune femme, une paysanne bretonne abandonnée par son amant, mère d'un garçon qui se nommait Paul. Elle ne possédait qu'un vieil esclave africain. Une solide amitié unit les deux jeunes femmes dont les enfants grandirent ensemble et finirent par s'aimer d'un amour tendre et pur. Et puis un beau jour, le gouverneur Mahé de Labourdonnais vint transmettre à Madame de la Tour l'offre d'une tante très riche qui résidait en France ; elle proposait de faire venir Virginie pour lui donner l'instruction que méritait son rang. Désespérée, elle ne pouvait qu'accepter de partir et de laisser Paul non moins désépéré. Et bientôt, selon les termes employés par Castex, Surer et Becker, dans leur *Histoire de la Littérature Française,* l'on put voir assez rapidement « les conséquences fâcheuses que peut entraîner le départ d'une fille de la nature pour un pays civilisé... »

Virginie ne se plait point en France et regrette son île natale. Sa tante lui propose un riche mariage et juge sévèrement son refus. Elle veut repartir pour l'île de France ! Elle y retourne après trois ans d'absence et Paul averti de son retour sur le **Saint Géran,** l'attend sur le littoral. Mais le temps se gâte et le navire fait

Départ de Virginie.
(Gravure dessinée par Schall,
Decourtis graveur.)

naufrage tout près du littoral. Paul essaie de se porter au secours de sa bienaimée : elle disparaît dans les flots déchaînés et l'on retrouve Paul, rejeté par les flots et blessé. Enterrement de Virginie. Paul meurt de désespoir deux mois plus tard.

Extrait du récit du naufrage

Dans les balancements du vaisseau, ce qu'on craignait arriva : les câbles de son avant rompirent ; et, comme il n'était plus retenu que par une seule aussière, il fut jeté sur les rochers à une demi-encâblure du rivage. Ce ne fut qu'un cri de douleur parmi nous. Paul allait s'élancer à la mer, lorsque je le saisis par le bras : « Mon fils, lui dis-je, voulez-vous périr ? — Que j'aille à son secours, s'écria-t-il, ou que je meure ! » Comme le désespoir lui ôtait la raison, pour prévenir sa perte Domingue et moi lui attachâmes à la ceinture une longue corde dont nous saisîmes l'une des extrémités. Paul alors s'avança vers le Saint Géran, tantôt marchant sur les récifs. Quelquefois il avait l'espoir de l'aborder, car la mer, dans ses mouvements irréguliers, laissait le vaisseau presque à sec, de manière qu'on eut pu en faire le tour à pied ; mais bientôt après, revenant sur ses pas avec une nouvelle furie, elle le couvrait d'énormes voûtes d'eau qui soulevaient tout l'avant de sa carène et rejetaient bien loin sur le rivage le malheureux Paul les jambes en sang, la poitrine meurtrie, et à demi-noyé. A peine ce jeune homme avait-il repris l'usage de ses sens, qu'il se relevait et retournait avec une nouvelle ardeur vers le vaisseau, que la mer cependant entrouva par d'horribles secousses. Tout l'équipage, désespérant alors de son salut se précipitait en foule à la mer sur des vergues, des planches, des cages à poules, des tables et des tonneaux. On vit alors un objet digne d'une éternelle pitié : une jeune demoiselle parut dans la galerie de la poupe du Saint Géran, tendant les bras vers celui qui faisait tant d'efforts pour la joindre. C'était Virginie. Elle avait reconnu son amant à son intrépidité. La vue de cette aimable personne exposée

à un si terrible danger, nous remplit de douleur et de désespoir. Pour Virginie, d'un port noble et assuré, elle nous fait signe de la main, comme nous disant un éternel adieu. Tous les matelots s'étaient jetés à la mer. Il n'en restait plus qu'un sur le pont, qui était tout nu et nerveux commer Hercule. Il s'approcha de Virginie avec respect : nous le vimes se jeter à ses genoux et s'efforcer même de lui ôter ses habits ; mais elle, le repoussant avec dignité, détourna de lui sa vue. On entendit aussitôt ces cris redoublés des spectateurs : « Sauvez-la, sauvez-la, ne la quittez pas ! » Mais dans ce moment, une montagne d'eau d'une effroyable grandeur s'engouffra entre l'Ile d'Ambre et la côte et s'avança en rugissant vers le vaisseau qu'elle menaçait de ses flancs noirs et de ses sommets écumants.

A cette terrible vue, le matelot s'élança seul à la mer ; et Virginie voyant la mort inévitable, posa une main sur ses habits, l'autre sur son cœur et, levant en haut des yeux sereins, parut un ange qui prend son vol vers les cieux.

O jour affreux ! hélas ! tout fut englouti, la lame jeta bien avant dans les terres une partie des spectateurs qu'un mouvement d'humanité avait portés à s'avancer vers Virginie, ainsi que le matelot qui l'avait voulu sauver à la nage. Cet homme, échappé à une mort certaine, s'agenouilla sur le sable, en disant : « O mon Dieu ! vous m'avez sauvé la vie ; mais je l'aurais donnée de bon cœur pour cette digne demoiselle qui n'a jamais voulu se déshabiller comme moi ».

Domingue et moi nous retirâmes des flots le malheureux Paul sans connaissance, rendant le sang par la bouche et par les oreilles. Le gouverneur le fit mettre entre les mains des chirurgiens ; et nous cherchâmes de notre côté, le long du rivage, si la mer n'y apportait point le corps de Virginie ; mais le vent ayant tourné subitement, comme il arrive dans les ouragans, nous eûmes le chagrin de penser que nous ne pourrions

Naufrage du Saint Géran et mort de Virginie. (Gravure dessinée par Schall, Decourtis graveur.)

pas même rendre à cette fille infortunée les devoirs de la sépulture. Nous nous éloignames de ce lieu accablés de consternation, tous l'esprit frappé d'une seule perte, dans un naufrage où un grand nombre de personnes avaient péri, la plupart doutant, d'après une fin aussi funeste d'une fille si vertueuse, qu'il existât une Providence ; car il y a des maux si terribles et si peu mérités, que l'espérance même du sage en est ébranlée.

Les faits

Le voilier Saint Géran qui avait quitté Lorient le 24 mars 1744 avec des passagers pour les îles de France et de Bourbon, arriva en vue de l'île de France le 17 août dans l'après-midi, après une traversée longue et pénible. Le capitaine Delamare dont c'était le premier voyage dans ces régions, jugeant qu'il serait bien tard pour prendre le mouillage, décida après en avoir conféré avec ses officiers, de louvoyer le long de la côte nord durant la nuit et de jeter l'ancre le lendemain. Contrairement à la description donnée dans le roman, la nuit était très belle et la lune éclairait la mer que n'agitait aucune tempête.

A minuit, des marins vinrent avertir l'officier de quart que le navire s'approchait dangereusement des récifs de la côte nord, tout près de l'île d'Ambre où existaient des courants violents. Mais l'officier ne parut pas en tenir compte. Et peu après, avant que le Saint Géran put changer de bord, il heurta les récifs. Dénouement brutal auquel ne s'attendait guère passagers et équipage.

Parmi les pasagers du Saint Géran se trouvaient deux jeunes filles, Mesdemoiselles de Mallet et Caillou, qui étaient, dit-on, fiancées à deux officiers du bord, Messieurs de Peyramon et de Longchamp. Le Saint Géran transportait aussi les machineries commandées par Mahé de Labourdonnais pour la première sucrerie de l'île.

La confusion régna rapidement à bord. Des mâts s'abattirent sur les canots de sauvetage et le grand radeau que l'on construisait avec hâte coula ! La situation devint désepérée quand le vaisseau se brisa en deux. L'on chanta des hymnes religieux et l'on dit des prières tandis que le Saint Géran se désagrégeait rapidement sous les coups de boutoirs des vagues. Les gens se jetèrent à la mer, s'accrochant à des planches et à des débris, radeaux de fortune dérisoires vite emportés dans le tourbillon du ressac. Seuls dix hommes et une négresse réussirent à gagner l'Ile d'Ambre.

Il existe plusieurs versions des événements qu'allait immortaliser le roman. L'une prétend que les deux jeunes filles refusèrent de céder aux instances de leurs fiancés qui les suppliaient d'enlever leurs vêtements encombrants pour se sauver plus facilement. Devant les refus inspirés par une pudeur effarouchée et qui fait sourire aujourd'hui nos baigneuses en bikini, ils attendirent la mort près de leurs bienaimées.

L'autre version que nous rapporte l'historien Pitot, fait du capitaine Delamare le héros de cet incident. Accroché à une planche en compagnie d'un matelot, il avait refusé d'enlever son uniforme car il trouvait ce geste incompatible avec sa dignité de capitaine. Gêné pour nager, il disparut.

Un capitaine qui meurt dans son uniforme, c'est un fait héroïque et banal. Tandis qu'une jeune fille qui périt victime de sa pudeur et choisit la mort plutôt que se dévêtir devant « un matelot tout nu et nerveux comme Hercule » ainsi qu'il est écrit dans le roman, ou refuse d'enlever ses habits sur les instances de son fiancé qui choisit de mourir avec elle, comme on

*Paul priant sur la tombe
de Virginie.
(Gravure dessinée par Schall,
Decourtis graveur.)*

l'a raconté après le naufrage, tout cela peut inspirer un chef d'œuvre qui attendrira les âmes sensibles pendant deux siècles.

C'est en 1966 qu'un plongeur amateur découvrit par hasard des débris de navire de l'autre côté des récifs près de l'île d'Ambre. Quelques menus objets... de la ferraille que l'on reconnut être des machineries commandées pour la sucrerie de la Villebague et un grand nombre de ces piastres d'Espagne, frappées au Mexique dans les années 1740. Ces fameuses « pièces de huit » des histoires de trésor et qui avaient cours dans le commerce. Si elles se vendirent à vil prix après leur découverte, elles sont aujourd'hui rares et chères. Le Saint Géran transportait quelque quinze barils de ces piastres.

L'on retrouva aussi la cloche de bord qui, dans la nuit tragique, avait sonné à toute volée pour appeler les passagers sur le pont. Elle appartient à la Société de l'Histoire de l'île Maurice qui l'a prêtée au musée de Mahebourg.

Le fils de Paul et Virginie

Un grand bal était donné aux Tuileries où se pressait une foule d'invités distingués. Parmi ceux-ci un homme de fort belle prestance très remarqué des dames. C'était Eloi Mallac, né à l'île de France et qui était établi à Paris.
— Qui est-ce ? demanda la Marquise de B... à son compagnon Prosper Mérimée. Cet écrivain connu pour ses facéties et qui savait que ce bel étranger venait de l'île Maurice, lui répondit sans sourciller :
— C'est le fils de Paul et Virginie !
— Comment ? Mais sa mère est morte noyée, répliqua la marquise.
— Oui, enchaîna Mérimée, mais elle avait eu un fils

et c'est même cette naissance illégitime, cette grave faute, qui avait motivé son départ pour les îles... L'enfant est resté en France.

— Présentez-le moi, je vous prie...
Ce que fit Mérimée.

— Que je suis heureuse, Monsieur de faire votre connaissance, dit la jolie marquise tremblante d'émotion. Que de larmes j'ai versé sur le sort de vos infortunés parents. De votre mère surtout.
Mallac n'y comprenait rien ! Il comprit lorsqu'il se rendit compte que Mérimée retenait à grand peine ses rires...

Mais l'histoire fit le tour du bal tandis que les jolies femmes se montraient Mallac qui dansait :
— C'est le fils de Paul et Virginie !

Eloi Mallac qui avait de brillantes qualités, devint préfet de la Nièvre. Connu pour ses bonnes fortunes, il était aussi l'amant de la duchesse d'A... dont il eut trois filles que les esprits prompts au calembour, appelèrent les « Mal-acquises »...

Œuvres de Bernardin de Saint Pierre :

Voyage à l'isle de France et à l'isle de Bourbon au cap de Bonne Espérance par un Officier du Roy (1773) l'Acadie (1781) Etudes de la Nature (3 vols en 1784. Paul et Virginie paraît dans le 4e volume de la 3e édition en 1787. Première édition séparée en 1789) Vœux d'un solitaire (1789) La Chaumière Indienne (1791) Voyage en Silésie (1807) La mort de Socrate (1808) Harmonies de la nature (1815). La première édition des Œuvres Complètes en 12 volumes parut en 1818-20, par les soins d'Aimé Martin qui fit aussi publier sa correspondance en 1826.

Arrivée de Monsieur de La Bourdonnais, dessinée par Gérard.
Voilà ce qui est destiné aux préparatifs du voyage de Mademoiselle votre fille, de la part de votre tante.

Bal costumé donné par Lady Gomm à l'Hôtel du Gouvernement en 1847. Si les invités avaient conservé les timbres collés sur les cartes d'invitation, leurs descendants seraient riches aujourd'hui... C'étaient les célèbres Post Office!

timbres et monnaies

L'île Maurice fut le quatrième pays à utiliser les timbres-poste après l'Angleterre (1840), la Suisse et le Brésil (1843) et partage ce privilège avec les Etats-Unis et Trinidad (1847). Son timbre Post Office allait remuer le monde de la philatélie et comme le Dodo, donnerait une singularité extraordinaire à cette petite île. Tous les philatélistes rêveraient des timbres mauriciens... à la suite de ce qui fut, selon R. Brunel, *« l'erreur la plus colossale et la plus célèbre de toute la philatélie ».*

C'est le 18 décembre 1846 qu'une ordonnance prévoit l'usage des timbres-poste dont la première émission sert à lancer les invitations au grand bal donné le 30 septembre 1847 à l'hôtel du gouvernement par le Gouverneur Sir William Gomm et Lady Gomm. On ne sait pas au juste combien d'invitations furent lancées — quelques centaines assurément — mais l'on connaît le chiffre exact de l'émission : 500 timbres de one penny et 500 de deux pence. En deux couleurs : vermillon et indigo. Ils sont à l'effigie de la Reine Victoria et portent l'inscription : Post Office. Tous les timbres ayant été vendus en quelques jours, l'on

s'occupe bientôt d'une deuxième émission qui fut imprimée en juin 1848. Les mots *Post Paid* avaient remplacé *Post Office.* Pourquoi ? Comment ? Les questions que l'on se posait n'avaient pas l'importance qu'elles acquirent plus tard !

Le graveur Barnard avait-il commis une erreur... merveilleuse en gravant Post Office sur la plaque à imprimer ? On le crut longtemps mais des chercheurs firent remarquer avec raison que ces mots désignant les bureaux de la Poste (Post Office) convenaient bien mieux que Post Paid (poste payée) lesquels étaient accompagnés d'une répétition puisque le mot *postage* (poste) figurait sur les derniers timbres ! L'erreur n'est-elle pas là ? L'on en discute toujours !

Quoiqu'il en soit c'est surtout la rareté qui fait la principale valeur commerciale d'un timbre et si les Post Paid sont beaucoup plus nombreux, il n'existe aujourd'hui que 29 Post Office dans le monde, y compris ceux qui figurent sur trois enveloppes dont l'une avec deux timbres et fort curieusement adressée

De quoi combler les rêves les plus fous des philatélistes! Post Office — ainsi que la célèbre « enveloppe de Bombay » qui fut vendue 380.000 dollars — et Post Paid.

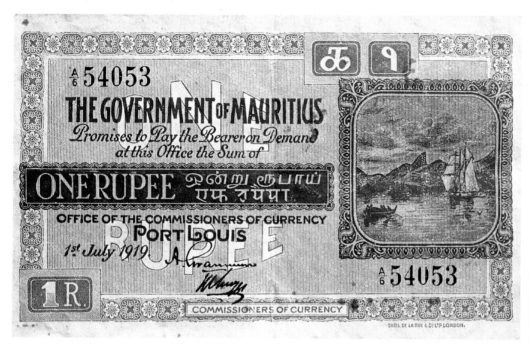

Au centre de ce billet de banque de 1914 un des côtiers, petits voiliers, qui transportaient les sucres jusqu'à Port Louis. (Collection Mauritius Commercial Bank)

à son destinataire dans l'Inde deux ans après que l'émission eut été épuisée, s'est vendue 380 000 dollars en 1968.

Certains Post Paid ont une valeur accrue à cause d'erreurs. Ainsi il a été imprimé « pense » au lieu de pence. Tandis que la déformation du profil de la jeune Reine Victoria a valu à une série de timbres l'appellation de *« tête de chien »* par des collectionneurs peu soucieux de lèse-majesté...

Les autres Post Office ont disparu au cours des années : vieux timbres jetés au panier ou perdus dans la paperasse. Victimes des intempéries ou de l'insouciance des hommes. Ainsi l'on a raconté qu'au début du siècle un certain Monsieur Noirel a découvert deux Post Office sur de vieilles enveloppes. Il en vendit un à Monsieur Rothschild et... se souvint ensuite que l'autre était resté dans la poche de son pantalon ! Trop tard ! Le vêtement avait été envoyé au lavage... Ses descendants en seraient aujourd'hui inconsolables.

Il existe beaucoup d'anecdotes sur le timbre le plus célèbre du monde et peu d'espoirs d'en retrouver d'autres spécimens malgré le rêve secret de tout philatéliste. Et malgré les fausses nouvelles de découverte dont l'écho agite parfois le monde des collectionneurs. Il est permis de rêver mais il est interdit de prendre ses rêves pour la réalité. C'est l'axiome rigoureux de la philatélie.

Quant à la plaque qui servit à l'impression elle se trouverait non à Maurice, mais au British Museum.

L'île Maurice est restée digne de ses anciennes traditions philatéliques et la plupart des nouvelles émissions, sujets bien choisis et exécution parfaite, sont fort recherchés par les amateurs dont le nombre dans le monde excède largement celui des timbres imprimés.

La "piastre d'Espagne"
La "piastre Decaen"

La piastre d'Espagne tenait la vedette parmi les monnaies qui avaient cours aux îles de France et de Bourbon. Les plongeurs en ramenèrent un grand nombre lors de la récente découverte de l'épave du Saint Géran.

Les lingots d'argent captures sur un navire portugais servirent à fabriquer la « piastre Decaen » en 1810.

Sidner ou les dangers de l'imagination... Barthélémy Huet de Froberville qui a délaissé définitivement l'épée pour la plume, a écrit le premier roman mauricien où l'on retrouve l'influence de Gœthe. Souffrance du jeune Werther... et de Sidner! Ce roman publié en 1805 et dont il n'existe que de très rares exemplaires, est aussi la première œuvre de ce genre publiée dans l'Océan Indien. L'auteur publia ensuite de nombreux textes dont plusieurs sont consacrés à Madagascar.

SIDNER

OU

LES DANGERS

DE

L'IMAGINATION.

PAR

Barthélemy FROBERVILLE.

Une chose encore, c'est qu'il fait plus de cas de mes talens que de mon cœur ; de ce cœur dont seul je fais vanité, et qui est seul la source de tout, de toute ma force, de mon bonheur, et de toute ma misère. Hélas! ce que je sais, chacun peut le savoir. — Mon cœur, je l'ai seul.

PASSIONS DU JEUNE WERTHER.

Lettre XLIX.

A L'ISLE DE FRANCE,

Chez C. F. BOUDRET, Imprimeur de la République.

1803.

peuplement et société

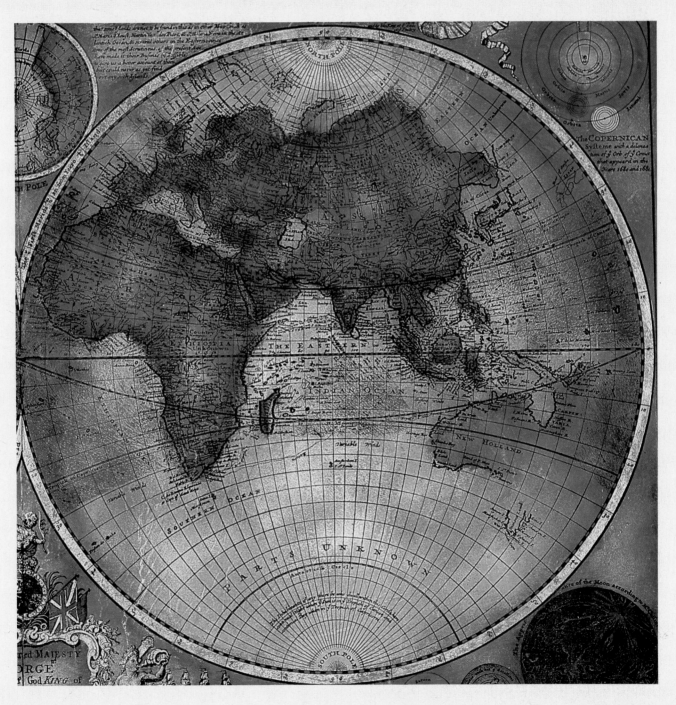

Carte de l'abbé de la Caille d'après les observations astronomiques que fit l'abbé de la Caille à l'île de France du 13 juillet au 28 septembre 1753.
Cette carte, l'une des premières de la colonisation française, indique les concessions de terres aux habitants.

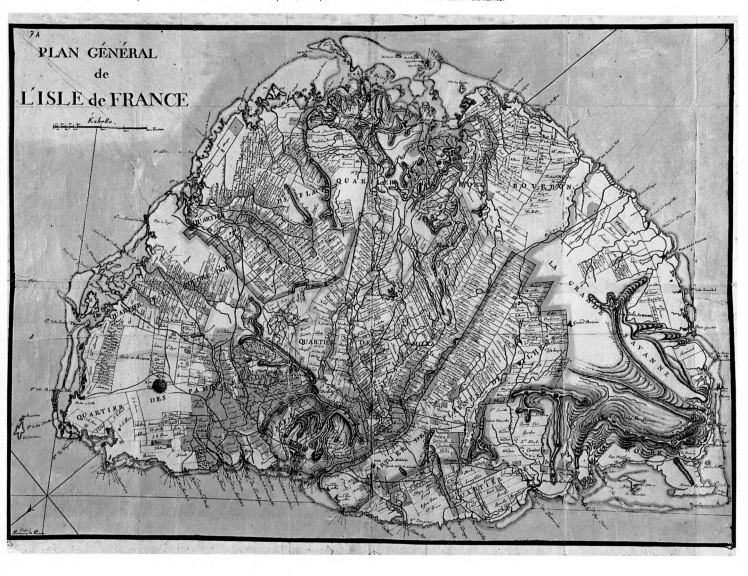

Ces armoiries sont extraites du livre de René Lejuge de Segrais, *Nobiliaire de l'ancienne Isle de France, publié en 1918, en tirage limité à 61 exemplaires. Si l'ouvrage est incomplet, il apporte néanmoins une contribution particulière à l'étude du peuplement de l'île de France où se retrouvèrent tous les éléments de la population française. Paysans, ouvriers, petits commerçants, militaires et gentilhommes. Jadis les cadets de famille allaient souvent tenter fortune aux îles... On les retrouvait souvent aussi comme militaires. Nombreux furent ceux qui se fixèrent à l'île de France. Outre les quarante familles dont les armoiries sont reproduites, beaucoup d'autres familles nobles s'établirent à l'île de France et l'on en retrace certains noms au début même de la colonisation française. Si aujourd'hui l'élite mauricienne est celle de la culture et de l'intelligence, sans distinction de caste et de race, les blasons de la vieille France évoquent toujours d'anciens souvenirs.*

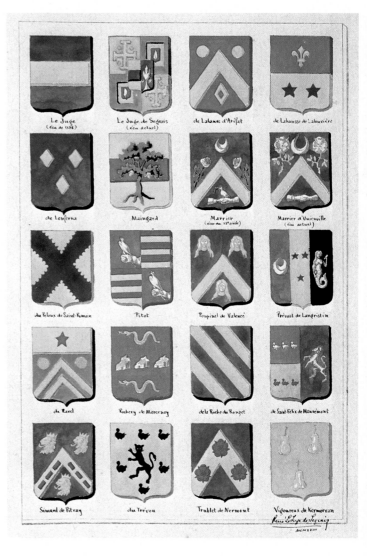

Les traditions religieuses sont très vivaces à l'île Maurice où la religion catholique compte des fidèles recrutés parmi toutes les communautés, plus particulièrement parmi la population dite générale et les sino-mauriciens. Départ d'une procession du parvis de la Cathédrale de Port Louis.

Jacques Désiré Laval, béatifié en 1979 à Rome, fut surnommé au siècle dernier l'Apôtre des Noirs et le Curé d'Ars des Tropiques. Sa tombe à Sainte Croix attire chaque année des centaines de milliers de pélerins de toutes races.

L'île Maurice compte aujourd'hui environ 900.000 habitants dont environ 68 % sont d'origine indienne. Soit 52 % d'Indo Mauriciens et 18 % de Musulmans. La partition de la Grande Péninsule en deux états indépendants l'Inde et le Pakistan, eut aussi ses répercussions à l'île Maurice tandis que l'accession de l'île à l'indépendance, avec le souci de protéger les minorités, accentua le clivage de la population indo-mauricienne. Elle avait la même origine ethnique et géographique, mais était d'appartenance confessionnelle différente. Les Indo-Mauriciens et les Musulmans constituent deux entités séparées au sein d'une même nation.

La « population générale », ainsi qu'elle est désignée dans les recensements, est la deuxième en importance numérique. On la situe autour de 250.000 ou 29 % du chiffre total, dont une grande majorité de descendants d'Africains et de Malgaches. Les métis et les blancs, d'importance numérique décroissante, complètent la population générale tandis que les sino-Mauriciens au nombre de 30.000 (30 %) constituent le quatrième élément statistique du recensement.

La population de l'île Maurice a plus que doublé au cours des trente dernières années alors qu'elle avait mis 75 ans de 1861 à 1944, même avec l'immigration massive venue de l'Inde, pour passer de 310 à 420.000 habitants. Le pourcentage moyen d'accroissement qui était d'un demi pour cent à la fin de la dernière guerre avait culminé à 3,12 % en 1962 avant de redescendre aujourd'hui, grâce au contrôle des naissances, à environ 1,3 %.

Durant les premières années de l'occupation française, l'île comptait quelque 250 habitants dont un cinquième de noirs marrons ! Elle n'atteignait pas 2.000 à l'arrivée de Labourdonnais qui la vit augmenter considérablement d'ici son départ en 1746.

Quand l'île passa de la Compagnie des Indes au Gouvernement Royal en 1767, la population, selon les statistiques du Baron d'Unienville se composait de 3.163 blancs, de 587 noirs libres et de 15.027 esclaves. En 1807, trois ans avant la conquête anglaise, ces chiffres sont respectivement de 6.489, de 909 et de 65.367, tandis qu'en 1835, 69.472 esclaves avaient été recensés. En 1794 la convention avait proclamé l'abolition de l'esclavage dans les colonies. Mais les colons s'y étaient opposés violemment. Seule la traite fut supprimée et l'esclavage continua jusqu'en 1835. Si les premiers esclaves vinrent de Madascar, c'est la côte orientale d'Afrique qui en fournit les plus gros contingents.

Les très graves problèmes de main d'œuvre nécessaire aux cultures, allaient bientôt amener ces immigrations massives de travailleurs libres ou engagés qui à longue échéance, allaient changer si considérablement les structures économiques, sociales et politiques de l'île Maurice. En 1846 onze ans après l'émancipation des esclaves, la population indo-Mauricienne était de 56.245. Elle allait passer à 216.258 en 1861. En 1911 avec 258.000 habitants elle est deux fois et demie plus nombreuse que la population générale selon les statistiques gouvernementales. Si l'immigration se ralentit considérablement dès ce début de siècle, le système de travailleurs engagés ne fut aboli officiellement qu'en 1924.

Les Indiens qui devinrent les Indo-Mauriciens, arrivèrent avec leur religion et leurs coutumes. Grâce à de solides structures familiales et sociales, ils conservèrent cette identité originelle que les Malgaches et les Africains avaient perdue dans les liens de l'esclavage.

L'immigration chinoise ne commença réellement que vers 1860. Ce sont les derniers venus de tous ces

Fidèle hindou se recueillant au bord du Grand Bassin, lac sacré au centre de l'île, site où viennent se recueillir l'immense foule des pèlerins, au mois de février. Ils sont tous vêtus de blanc. C'est la fête Maha Shivatrée.

*Redoutable divinité
d'un temple hindou.*

immigrants qui ont fait l'île Maurice dont les « indigènes » furent ces hardis Français, pionniers de « l'enfer de l'île de France » après l'abandon des Hollandais.

Il convient de rappeler que si l'on retrouve pratiquement les mêmes éléments ethniques chez les colons et les immigrés à la Réunion, le « dosage » ne fut pas le même et l'évolution sociale parfois différente. Elle ne connut pas pendant un siècle et demi ce rigorisme et ces préjugés britanniques qui, malgré tout, influençaient ces colons souvent distants à l'égard des Anglais. C'est en 1848 que l'abolition de l'esclavage fut proclamée à la Réunion.

Toutes les communautés Mauriciennes travaillent à la prospérité de l'île et contribuent à l'élite des corps professionnels. Elles se partagent, selon leur vocation et leurs préférences, les activités commerciales et agricoles. Les Sino-Mauriciens dont l'évolution fut spectaculaire dans d'autres domaines au cours des récentes années, tiennent le petit commerce et se retrouvent avec les autres, dans le gros négoce. La majorité indo-mauricienne est sensible dans le fonctionnariat et sa classe laborieuse fournit la plus grosse partie de la main d'œuvre agricole. On compte un très grand nombre de petits et de gros planteurs de canne à sucre chez les Indo-Mauriciens qui monopolisent largement la culture potagère. Les Musulmans ont les mêmes affinités économiques. La majorité des artisans et des ouvriers se recrute chez les descendants d'Africains communément appelés Créoles. Les autres éléments de la population générale, métis et blancs, présents dans la haute fonction publique, sont nombreux parmi les employés de banque, de commerce et de l'industrie sucrière. Cette dernière est très largement contrôlée par les descendants des colons français, généralement désignés sous le terme flou de franco-mauriciens.

L'indépendance politique crée plus rapidement un état qu'une nation. C'est une œuvre de longue haleine qui se poursuit lentement dans une petite île où s'épanouissent divers loyalismes culturels, teintés de politique. La nation mauricienne se forge dans une heureuse synthèse de patience et de tolérance, d'humilité et d'estime mutuelle. La préséance du nombre est aussi vaine que celle de la première présence. Elles ont toutes deux des droits imprescriptibles, mais la loi aveugle du nombre détruirait cette diversité qui fait le charme et le rayonnement de l'île Maurice.

Diversité culturelle où s'épanouissent de nombreuses associations dont la plus ancienne est la *Société Royale des Arts et des Sciences* créée en 1829. L'on classe parmi les plus actives le *Centre Culturel Français* et *L'alliance Française,* L'*Indian Cultural Association,* Le *British Council* tandis que la *Société de l'histoire de l'île Maurice,* avec ses nombreuses publications complétées par celles des Archives Nationales, suscite l'intérêt des Mauriciens comme des étrangers. La musique, la danse, la peinture, l'histoire, le théâtre et la littérature suscitent de nombreuses vocations. L'universalisme poético-philosophique de Malcolm de Chazal transcende les frontières tandis que Robert Edward Hart notre plus grand poète mauricien proclame son allégeance à la France, à l'Angleterre et à l'Inde védique. L'*Institut Mahatma Gandhi* dont le nom indique l'orientation, veut être aussi un carrefour des cultures.

Diversité des media où la dizaine des langues parlées à Maurice se retrouvent proportionnellement à la radio et à la télévision tandis que dix quotidiens et quatre hebdomadaires où prédomine très largement le français — à l'exception de deux quotidiens chinois et d'un hebdomadaire hindi — reflètent les allégeances politiques et culturelles.

Diversité des clubs mondains et sportifs, parfois exclusifs dans leur recrutement, mais fraternisant

Le Cavadée est l'une des plus spectaculaires fêtes religieuses hindoues. On y voit de nombreux pélerins la langue et les joues transpercées de longues aiguilles.

Le Moharram est une grande fête religieuse musulmane qui commémore le martyre de Hassan et de Hossein, les petits-fils du prophète. A cette occasion les musulmans construisaient un ghoon, haute superstructure décorative et ornée de figurines. Cette manifestation pittoresque tend à disparaître.

dans les compétitions sportives. Diversité de l'élégance où dans les réunions mondaines, les saris chatoyants de l'Inde rivalisent avec la mode parisienne. Elégante parade qui fait regretter aujourd'hui l'absence presque totale de ces tuniques de soie qui témoignaient de la présence chinoise. Diversité gastronomique des pâtisseries et des cusines européenne, indienne, chinoise, et créole...

Diversité des cultes, de leurs processions et de leurs pélerinages dans le silence et le recueillement, les chants et la musique, la ferveur et l'exaltation dans le chatoiement des couleurs. Le sentiment religieux est très profond à l'île Maurice qui ne compte pas moins de 600 lieux de culte.

Etonnante mosaïque mauricienne...

Si l'ennui naquit un jour de l'uniformité, ce n'est pas l'île Maurice qui inspira le poëte !

L'ALLIANCE FRANÇAISE

Si la défense de la culture et de la langue française incombe aujourd'hui à plusieurs organisations et qu'elle a été renforcée par la création d'une ambassade et de ses services connexes, l'Alliance Française fut longtemps seule à en assumer la responsabilité.

La première réunion eut lieu le 10 Septembre 1884, sous la présidence de Monsieur Drouin, Consul de France à l'île Maurice. C'est un Mauricien, le Docteur Clarenc, qui prit l'initiative de fonder le groupe régional de l'Alliance Française à Port Louis. Débuts lents et difficiles qui aboutirent progressivement à des résultats remarquables. De nombreux élèves des diverses ethnies mauriciennes se présentent aujourd'hui aux examens dotés de bourses d'études. Le Lycée

Labourdonnais est un collège d'Alliance Française qui prépare aux examens du baccalauréat.

Menace d'excommunication...

La correspondance consulaire du Ministère des Affaires Etrangères (Quai d'Orsay) apporte une abondante documentation sur les violents conflits qui opposèrent dès sa création, l'Alliance Française à l'évêque de Port Louis, Monseigneur Meurin qui lui reproche de propager *« des idées révolutionnaires que l'Alliance Française telle qu'elle existe en France s'est proposée de faire en dehors de la France par des fondations d'écoles soit disant neutres mais en réalité impies et d'une certaine littérature anti-chrétienne... Les Mauriciens aiment bien les Français mais ils n'aiment pas la Révolution ! »*

L'évêque écrit (juin 1891) *que « le Saint Siège approuve ce que j'ai fait et m'exhorte à continuer d'empêcher les fidèles d'y participer...*

Il fait état de « soupçons d'affiliation à la franc maçonnerie... » Le Docteur Clarenc proteste vigoureusement et pour dissiper les craintes de Monseigneur Meurin, lui propose de désigner quatre personnes pour siéger sur le comité.

Lettre pastorale de l'évêque qui défend aux Catholiques de faire partie de l'Alliance et d'envoyer leurs enfants aux examens ! Menace d'interdit et d'excommunication... Irascible et soupçonneux pasteur !

Mais les choses finirent par s'arranger à la longue. Beaucoup de bruit, pour rien... le groupe régional de Port Louis ne fit jamais preuve d'anticléricalisme et rendit d'immenses services à la culture et à la langue françaises.

Ces magnifiques portes sculptées ouvrent la grande mosquée de Port Louis où les fidèles de l'Islam procèdent aux ablutions rituelles. La solidarité et la prospérité islamique ont édifié de nombreuses mosquées au cours de ces dernières années.

La vieille et la jeune générations de la communauté sino-mauricienne qui compte de très nombreux catholiques, sont demeurées très fidèles au culte des ancêtres.

Les dieux et les ancêtres sont invités
à partager les offrandes et ensuite,
avec le même respect, à se retirer...

Vieille pagode à Port Louis. Certains lieux de prière sont toujours desservis par des bonzesses vierges et végétariennes. Mais la majorité des Chinois mauriciens s'est convertie au catholicisme en demeurant fidèle aux fêtes ancestrales.

la compagnie des indes

« L'idée de richesse qui se dégage de cette maison tient surtout du fait qu'une harmonie parfaite y règne. Aucun détail
qui ne soit le complément indispensable d'un autre détail... »
(Marcelle Lagesse : La diligence s'éloigne à l'aube)

Meubles et porcelaines de la Compagnie des Indes.
(Collection Loïs Levieux)

L'arrivée des Portugais dans l'Océan Indien ouvrit la voie aux Compagnies des Indes et porta un coup mortel à Venise qui avait assuré sa suprématie sur les autres républiques maritimes de la péninsule italienne. Sa flotte allait chercher à Alexandrie et dans certains ports de la Méditerranée orientale les marchandises arrivées par caravane du lointain Orient. C'était la célèbre Route de la Soie. La Route des Epices, essentiellement maritime, n'utilisait les caravanes qu'à partir des rivages de la Mer Rouge. Soieries... or... pierres précieuses... épices. La porcelaine allait représenter un volume considérable des importations des Compagnies des Indes.

Il y en eut huit principales qui furent lancées, en Espagne, en Hollande, en Angleterre, en France, au Danemark, à Ostende et aux Etats-Unis. L'importation au Portugal fut surtout un monopole d'état. On relève un total de 14 240 voyages en Extrême Orient du 16e au 19e siècle qui, avec d'autres marchandises, ramenèrent quelque 170 millions de pièces de porcelaine ! Chiffres que l'on trouve avec d'autres précieux renseignements dans les Compagnies des Indes (R. Picard, J.P. Kernies et Y. Bruneau) paru aux éditions Arthaud. Un seul navire en rapportait parfois plus de 100 000 pièces...

Lorsque aujourd'hui les collectionneurs parlent de Compagnie des Indes, il n'est plus question d'épices ou de soie, mais de porcelaine et de meubles. Il est superflu de préciser que les merveilleuses pièces fabriquées par les artistes chinois ne représentaient qu'une infime partie de l'énorme pacotille, faite de vaisselle commune. Sans doute existait-il comme dans toute fabrication, des catégories intermédiaires de toutes sortes d'objets, — y compris des bidets et des pots de chambre ! — dont la valeur aujourd'hui, quand on peut les identifier, tient plus à la rareté qu'à la qualité. Il convient de préciser que ces articles

étaient fabriqués en Chine et qu'ils avaient pris tout simplement le nom générique des Compagnies qui en assuraient l'acheminement. Les « meubles de la Compagnie des Indes » amènent des commentaires plus imprécis. On les voit généralement d'une austère sobriété ou agrémentés de moulures et de torsades. Parfois matinés de flamboyance orientale... Mais l'abus n'en ferait-il pas des meubles indiens ou chinois ! Fabriqués dans les Indes pour des Européens. Ou dans les îles. Pas trop anciens... pour avoir une certaine élégance. Ni trop récents dans l'histoire des colonisations pour conserver un cachet d'ancienneté ! Choisissons-les de préférence — si on peut vraiment les situer ! — dans ce 18e siècle qu'apprécient les collectionneurs. Ces meubles échappent à la rigide classification de nos divers « Louis ».

Il y eut plusieurs Compagnies des Indes en France. Les îles de France et de Bourbon dépendaient jusqu'à leur cession au Gouvernement Royal — pour la somme de 7.625.48 livres — de la Compagnie des Indes de Law, fusion de plusieurs Compagnies dont la Compagnie Royale de Chine. Elle avait un capital de 112 millions de livres réparti en 56.000 actions. Ce Conseil des Indes ou comité d'administration, présidé par un Commissaire du Roi, était composé de sept membres. La Compagnie jouissait d'un monopole de commerce. Elle connut des fortunes diverses et n'eut pas la prospérité de ses rivales anglaise et hollandaise. Elle avait aussi comme les autres, ses navires et ses soldats.

C'est en Europe et aux Etats-Unis que l'on trouve les plus précieuses collections de porcelaine. Admirables « famille verte » ou « famille rose » et d'autres pièces inestimables qui font parfois l'objet de folles enchères. On ne trouve rien de comparable dans les collections mauriciennes, riches pourtant de quelques porcelaines qui font rêver à la grande aventure des Compagnies des Indes.

*Secrétaire en bois des îles... porcelaines et flacons précieux... Des portraits d'aïeux...
Un colonel de cavalerie du Royal Cravate, Chevalier de Saint Louis. Deux siècles
de souvenirs d'une Isle de France jamais oubliée...*

le parler créole

Langue... dialecte... patois ! Les opinions diffèrent mais le créole est parlé par toute la population mauricienne dont il est en quelque sorte la *lingua franca*. C'est le véhicule de communication des descendants de Français, d'Africains, d'Hindous et de Chinois.

Le créole naquit des impératifs de communication entre les colons et les esclaves africains et malgaches. Il s'inspira très largement du vocabulaire français et emprunta de nombreux mots à l'anglais, au malgache et aux langues orientales. « *Ce rôle essentiel du créole* écrit Charles Baissac, *en fait un langage prêt à toutes les transactions, à tous les compromis. Aucune concession ne lui coûte : son vocabulaire s'ouvre à toutes les importations, sa syntaxe - si syntaxe il y a - se prête à toutes les combinaisons, se plie à tous les tours, cède à toutes les violences de l'étranger qui le parle... »*

Le créole est anarchique, flou, pittoresque et très imagé. Le parler créole mauricien est différent de ses cousins antillais et réunionnais.

Texte français avec texte créole (Extrait du Folklore de l'Ile Maurice, de Charles Baissac).

La SIRANDANE est une devinette. Une énigme dont le « *sampeque* » est la réponse.

Dileau diboute ? Canne (De l'eau debout ? Une canne à sucre).

Dileau en pendant ? Coco (De l'eau suspendue ? Une noix de coco).

Baionette par derrière ? Mouce jaune (Baionette par derrière, une guêpe).

Ptit bonhomme, grand capeau ? çampion (Petit bonhomme, grand chapeau ? Un champignon).

Qui ça Mousié la qui amène so lacase lahaut so lédos ?
Couroupas (Quel est le monsieur qui porte sa maison sur son dos ? Le colimaçon (ou court pas).

Mo éna ène barique av de qualités dileau ? Ene dizet (J'ai une barrique avec deux espèces d'eau ? un œuf).

Qui la langue qui zamés te menti ? La langue zanimaux (Quelle est la langue qui n'a jamais menti ? La langue des animaux).

Cote mo allé li sivré moi ? Mo lombe (Où je vais elle me suit ? mon ombre).

Mo zette lasène, mo lève ène gros posson, més moi tout sèle qui a manze li ? Mo famme (Je jette la senne, je relève un gros poisson, mais je serai seul à le manger ? ma femme).

Le créole a aussi ses proverbes et dictons de son propre cru. Ou paraphrases de proverbes français :

Zaffères moutons napas zaffères cabris (les affaires des moutons ne sont pas les affaires des cabris. Ou tout simplement : ne vous mêlez pas de ce qui ne vous regarde pas).

Iizié napas éna balizaze (les yeux n'ont pas de frontière. L'œil a le droit de regarder partout).

zamés bef senti so corne trop lourd (Jamais le bœuf ne sent ses cornes trop lourdes).

Dileau dourmi touyé dimoune (L'eau qui dort tue les gens. Ou Il faut se méfier de l'eau qui dort).

Dans mariaze liciens témoins gagnent batté (Aux noces des chiens les témoins reçoivent des coups. Ou : Entre l'arbre et l'écorce il ne faut pas mettre le doigt...).

Aspere ième dans marmite avant causé (Attendez que le lièvre soit dans la marmite avant de causer. Ou : Il ne faut pas vendre la peau de l'ours avant de l'avoir tué).

Quand fame leve so robe, diabe guette so lazambe (Quand une femme relève sa robe, le diable regarde sa jambe).

Li fine marié ène bouteye vide (Il a épousé une bouteille vide. Ou une femme sans dot...).

Les LOCUTIONS sont aussi pittoresques que les sirandanes et les proverbes :

éne manman lacloche (une « mère cloche ». Ou grosse cloche...).
éne papa baton (un gros baton. Un gourdin).
batte lalangue (battre la langue ! Médire ou calomnier).
To labouce, to laguèle gratté (tu parles sans rien dire).
lesprit zaco (Esprit de singe. Balourdise).
lifaire so lagazette (Il raconte partout des commérages).
dilet tigre (du lait de tigre... Un rhum très fort !).
mo déquère (j'ai deux cœurs : je suis indécis).
pitit més couteau (petit mais solide. Et coupant).
caya-caya (cahin-caha).
li fine casse so laguèle dans so labouce (Littéralement : il lui a cassé la gueule dans la bouche ! Ou il lui a clos le bec).

Certains mots anglais ont passé phonétiquement dans le créole. Ainsi black-eye (œil poché) est devenu *blacaille*. Par extension - et avec liaison ! - « caille » signifie œil : *virecaille* (virer de l'œil) *Caillelouce* (loucher) *Cailleborne* (borgne).

De très anciennes et mélancoliques berceuses créoles dont la plus célèbre est *La Rivière Tanié* (nom de la rivière des Lataniers) sont toujours chantées par les nénènes (nounous) pour endormir les enfants. Outre les ségas commentant l'actualité les événements ou les mœurs, il existe de nombreuses chansons et romances aujourd'hui délaissées pour le séga qui monopolise les compositeurs.

HISTOIRE D'UN MALIN DROLE

Il y avait une fois une vieille bonne femme
qui avait un fils, mais le pauvre garçon était
la bêtise même.
Un jour sa mère l'envoie acheter une hache
au bazar. En revenant, il joue tout le
long du chemin avec la hache : il frappe,
il coupe. Il va rentrer dans la maison
quand il voit le petit mouton de sa mère
en train de brouter l'herbe dans la cour.
Il crie : « Maman, maman ! regardez quelle
fameuse hache je vous ai achetée ! » et il
abat d'un seul coup la tête du mouton.

ZISTOIRE ENE MALINBOUGUE

Ti éna éne fois éne vié bonnefemme
qui ti gagne éne garçon, mais pauvre
bougue là té bête bête même. Ene zour so
manman envôye li acète éne lahace
bazar. Lhère li tourné li nèque zoué
zoué av ca lahace là, cogné, coupé.
Côment li pou rente lacase, petit
mouton so manman té après manze lherbe
dans lacour ; li crié : « Manman,
manman, guété qui famé lahace mo fine
acète pour vous ! » et li saute latête
mouton éne coup même.

CATECHISME CREOLE

Le R.P. Roger Dussercle S.Sp, fut l'apôtre de ces petites îles lointaines auxquelles ce livre a consacré un chapitre. Ce missionnaire en fut aussi l'historien avec plusieurs ouvrages remarquables : (*Archipel des Chagos* 1935. *Dans les îles là-haut* 1937. *Agalega petite île ; l'île d'Aigle* 1936). Mais on lui doit aussi un très savoureux *Petit Catéchisme en créole* « spécialement destiné à l'instruction des Créoles des Iles ». Quelques extraits que nous avons traduits donnent une idée de ce si pittoresque patois créole. Termes imagés pour frapper l'esprit des Ilois...

Essqui N S Z C fin' faire mauvais zenfant quiqu'fois ek so maman ? (Est-ce que Notre Seigneur Jésus Christ s'est-il conduit parfois en mauvais enfant avec sa mère ?).
Non ; zamais N S Z C fin' faire mauvais zenfant ; li fin' touzours acout' so maman. (Non. N.S.J.C. ne s'est jamais conduit en mauvais enfant ; il a toujours obéi à sa maman...).

Et les miracles : *N S Z C fine faire dileau vine divin ; li fine gueri dimoune malade ; li fine rend'lavie dimoune mort ; li fine pouss' diab'.* (N S J C a changé l'eau en vin ; il a guéri les gens malades ; il a fait ressusciter les morts ; il a chassé le diable).

Qui tine cène la Zidas ? (Qui c'était Judas ?).
Zidas, ti en' sacamrade NSZC, qui té fine vine en' démon. (Judas était un ami de N S J C et qui est devenu un démon).

Les bons et les mauvais anges :
Band'zanzes qui bons qui zott travail ? (Quel est le travail des bons anges ?).
Band'zanzes qui bons zott faire commissions pour Bon Dié ; zott veille lor nous ; ca même qui faire nous appelle zott zanzes gardiens. (Les anges qui sont bons exécutent les ordres du Bon Dieu ; ils veillent sur nous ; c'est à cause de cela que nous les appelons anges gardiens).

Le mariage : *Essqui dimoune marié capave feillazer quand même en'coup en'coup ?* (Est-ce que les gens mariés peuvent être infidèles de temps en temps ?).
« Feuillager » est une expression créole très imagée... La réponse est non !

Le prêtre vient rarement aux îles. Qui va marier les amoureux ? C'est l'administrateur qui a pouvoir de le faire en attendant que le prêtre bénisse l'union.
Quand mon Père napas vine dans ziles si nous v'le marier nous bisin marier dans lamain grand missie. (Littéralement : c'est « la main du grand monsieur » l'administrateur - qui unit les époux.

FABLES DE LA FONTAINE

Un vieux peintre mauricien, Xavier Lejuge de Segrais, personnage pittoresque et original, a paraphrasé et traduit des fables de La Fontaine. Recueil fort savoureux publié sous le titre suivant : *VINGT ZOLIES ZISTOIRES MISIE LAFONTAINE DANS CREOLE MAURICE (avec 74 zolies zimazes par Misié dé Ségré, ène dimoune qui tire portraits).*

Titre et présentation que l'on traduirait ainsi :

Vingt jolies histoires de Monsieur de La Fontaine, en créole mauricien, illustré de 74 jolis dessins, par Monsieur Lejuge de Segrais, peintre.

DISQUES DE SEGAS POPULAIRES

Anglais rende mo mari (Anglais rends mon mari). Des segas pittoresques : *Fler de la Roz* (fleur de la rose) ; *sécré nou lamour* (le secret de notre amour) ; Madame Eugène : *Premier tifi Madame Euzene* (la première petite fille de Madame Eugène) ; *Qui faire mo ploré* (pourquoi je pleure). Et un titre onomatopée : *Coutiou-Coutiou* qui veut dire parler à l'oreille de quelqu'un (*cause dans zoreille...*).

le séga

Le Shega Danse des Noirs (gravure de Roussin) - Album de la Réunion. 1860.

Le Bobre de l'Ile Maurice (gravure de Gavarni).

« ...C'est tout simplement un fil de métal tendu sur un long bâton à l'aide d'une calebasse qui fait office de chevalet ; le musicien frappe dur sur la corde avec une baguette de bois très dur, ou une petite tringle de fer ».
C'est le bobre, dont l'usage a disparu aujourd'hui, tel que le décrit Milbert dans son Voyage Pittoresque à l'Ile de France, au Cap de Bonne Espérance et à l'Ile de Ténériffe.

Au bon vieux temps (gravure de Richard Tems).

La danse autour du feu, sous les grands multipliants, arbre de la famille des ficus, ainsi nommés parce que les lianes descendant du tronc, prennent racine et ajoutent ainsi continuellement à la circonférence faite de dédales, de l'arbre qui finit par couvrir une superficie considérable.

Les esclaves avaient conservé dans leur cruel exil la nostalgie de leur pays d'origine. Et sans doute rien d'autre ne pouvait mieux en exalter le souvenir que les rythmes et les mélopées qu'accompagnait le plus primitif des instruments : le tam-tam ou tambour. Ainsi s'amorça l'évolution qui devait aboutir au sega. Le tam tam devint la ravane, instrument fait d'une peau tendue sur un cercle de bois agrémenté de clochettes et que l'on chauffe au feu pour mieux le tendre. Il y a aussi le petit triangle de fer que l'on fait tinter avec une baguette du même métal et la maravane, instrument plat et creux que l'on agite en cadence. Il contient des pois secs ou des petits cailloux qui lui donnent une sonorité particulière. Il y avait aussi le bobre d'origine africaine dont l'emploi est tombé en désuétude : calebasse qui coulisse avec divers effets de résonance, le long d'une tige de bois monocorde.

Le sega est un rythme qui contient une sourde et sauvage cadence primitive et une mélopée où le patois remplace l'antique dialecte ancestral. Le sega est une danse et un chant qui exprime un état d'âme, décrit une situation ou célèbre un événement, le plus souvent avec un humour qui n'exclut pas un sens aigu de l'observation. Dans le feu de l'action — et du rhum ! — le chanteur improvise parfois et les accompagnateurs suivent facilement.

Le tourisme a provoqué la commercialisation du sega et certains spectacles offerts au visiteur, malgré leur rythme endiablé, n'ont rien de commun avec le sega que dansaient les habitants pour se distraire ou se défouler. Mais il n'est pas impossible qu'avec ce « retour aux sources » qui accompagne la sophistication de notre époque, on le retrouvera tel qu'il était un quart de siècle plus tôt, au bord des plages du Morne où grâce à l'éloignement le type africain s'est maintenu dans sa noire pureté. Il est évident que dans ces lieux éloignés l'on dansait avec une fougue atavique jusqu'à l'aube et que le rhum coulait à flots. Déchaînement du sega et des passions « C'est alors que Satan conduit le bal », écrivait un prêtre missionnaires aux îles.

Le sega est une danse souvent lascive dont l'érotisme nuancé dépend de l'ambiance et des danseurs. Mais les danseurs ne se touchent pas, et ces frôlements souples et passionnés, au rythme obsédant des tambours, entretient un suspense qui ne faiblit pas.

« Les danseurs de sega se meuvent par petits pas latéraux avec un déhanchement suggestif. Ils dansent par couples, l'homme en face de la femme ; parfois il tourne autour d'elle et parfois s'en éloigne pour donner l'impression qu'il l'a perdue. Puis le couple se rapproche de nouveau, se frôle mais ne se touche jamais. Il arrive qu'un danseur passe entre le danseur et sa partenaire. On dit qu'il coupe ! C'est avec lui que la femme dansera
jusqu'au moment où le couple est de nouveau coupé par un autre danseur. »

C'est l'excellente description d'un des moments du sega qu'a faite un jeune Mauricien passionné de folklore, Alain Desmarais.

Beaucoup d'écrivains ont été fascinés par les danses des esclaves. Bernardin de Saint Pierre, qui vint à l'île de France en 1768, écrit :
« Ils aiment passionnément la danse et la musique. Leur instrument est le tam tam ; c'est une espèce d'arc où est adaptée une calebasse ; ils en tirent une sorte d'harmonie douce dont ils accompagnent les chansons qu'ils composent. L'amour en est toujours le sujet... »

Il parle aussi du *« son lugubre d'une calebasse remplie de pois ».* L'ancêtre de la maravane.

Milbert qui vint en 1803 trouve... *« ...qu'ils font des gestes d'une lasciveté extrême et qui ne peuvent laisser aucun doute. Ils exécutent de préférence les danses les plus libertines. Leur passion pour les femmes est extrême... »*

Et il ajoute : *« Les danseurs frappent violemment du talon contre la terre et du poing contre leurs hanches ; ils s'approchent les uns des autres, se heurtent, reculent en tournant et agitent leur corps d'une manière très lubrique. Souvent ils chantent dans leurs fêtes les louanges de leur maître et de sa famille, surtout quand on a la générosité de leur faire distribuer un petit verre d'arack... »*

Le sega commence par l'appel qui est une sorte de prélude ou d'exposition verbale exécutée par un soliste, discrètement accompagné par la ravane ; soudain c'est l'explosion des tambours ! Il y a un soliste et un chœur.

Le sega classique — distinct du « sega de salon » où interviennent des intruments de batterie — se danse aussi à Rodrigues avec un rythme plus rapide et dans ces petites îles comme Agaléga où des coquillages marins, appelés « coquilles sega », frottés l'un contre l'autre, ajoutent à l'orchestre.

Le sega à l'île de la Réunion a perdu beaucoup de son rythme primitif. Il s'est alangui. On lui trouve un charme plus colonial, souvent enrobé d'une douce sentimentalité. On ne sent plus en lui sourdre ces forces primitives du continent noir.

Classique ou décadent, sentimental ou vulgaire — danse épileptique selon certaine définition — on en subit parfois l'envoûtement lorsque les tambours ronflent sous le ciel étoilé au bord des plages...

« ...Ils font des gestes d'une lascivité extrême et qui ne peuvent laisser aucun doute. Ils exécutent de préférence les danses les plus libertines. » (L'ouvrage de Milbert qui vint à l'Ile de France en 1801, fut publié en 1812 et réédité en 1976 par les Editions Laffitte. Un volume et un atlas avec 45 lithographies, presque toutes consacrées à l'île de France.)

« Nous n'avons plus que le sega pour nous unir
nous n'avons plus que le sega
que l'on a mis à la boutique
parmi les pains de paix amère
Qui sont offerts partout partout
pour nous confondre
et pour confondre nos désirs de liberté. »
(Jean Erenne : Sega de liberté)

Construction de Port Louis dans l'Isle de France. Défrichement des lieux par le feu et les moyens prompt(s) que l'art peut dicter en 1738. (Dessin de N. Ozanne. Gravé par Dequevauviller.)

« La Cité s'insère dans le contexte de la vie mauricienne avec les graces langoureuses et molles de la dame créole, mi européenne, mi orientale. Elle s'étire dans son écrin de montagnes jusqu'aux eaux tièdes de la Mer Indienne qui lui baisent les pieds en de félines ondulations. »
(G.A. Decotter : Guirlande pour une capitale)

Un coin du Camp Créole en 1856.
(Dessin de Laly)

Le grand incendie de 1816 détruisit les deux tiers de la capitale et menaça l'Hôtel du Gouvernement.

Port Louis au siècle dernier
▽

En ce matin de janvier, le soleil semble infini par son éclat.
Il est partout. Il habite, hôte vêtu de bleu et de noir,
les ombrages aux formes danseuses. Sur chaque chose se tient,
debout, ardente, une touche de lumière : veillée universelle
aux musiques de couleur. Quel brasier tropical
qui brûle sans détruire... »
(André Masson)

◁

La statue de Mahé de Labourdonnais fut érigée au Jardin de la Place
d'Armes, face à la mer. Quarante ans plus tard une autre cérémonie se
déroula sur la place du Quai pour commémorer le bicentenaire de
sa naissance. Le gouverneur britannique rendit hommage à celui qu'il mettait
au rang des plus grands hommes du XVIIIe siècle qui avaient consacré leur vie
au service de leur pays et ouvert les anciens empires de l'Orient à la civilisation
européenne et au commerce du monde moderne. « C'est pour cela
que l'Angleterre l'a toujours honoré bien qu'il fut son plus formidable
adversaire ». Il ajoute qu'une épidémie avait empêché les flottes française
et anglaise de prendre part à cette commémoration. De la place du Quai et
dans la même perspective l'on découvre la statue de la Reine Victoria,
symbole de cet empire, semblable à celui de Charles Quint, où le soleil
ne se couchait jamais...

La capitale est jumelée au
Port Louis de Bretagne avec
lequel elle entretint de
nombreuses relations au
XVIIIe siècle.

Soleil ardent, corsaire
saignant sur l'horizon
Sous tes rouges voilures et
tes mâts de rayons
Tu sombres, ayant jeté de
ton bord tout un lest de
saphir et d'opales.
(Edmée Le Breton)

L'axe de tir des meurtrières
commande les rues de la ville.
L'on dit que la crainte d'un
soulèvement des colons, à
l'époque de l'abolition
de l'esclavage, ne fut pas
étrangère à sa construction
qu'inspirèrent aussi d'autres
motifs stratégiques.

Le Palais Episcopal illustre
magnifiquement l'architecture
coloniale du siècle dernier.
La Citadelle domine Port Louis
de sa masse imposante
« ...Tel un vaisseau aérien,
acropole de pierre que
hantaient le silence des canons
et leur sombre stupeur » -
(R. E. Hart.)

Le charmant petit théâtre de Port Louis (1822) dont une affiche annonçait le 5 juin 1837 : « Tableaux militaires, marches évolutions par les Grenadiers etc... L'empereur Napoléon fera son entrée à cheval !!! Chaque colonel défilera à cheval à la tête de son régiment ». C'était... à l'occasion du départ du 35e Régiment britannique et avec la collaboration de la troupe !

« Roulette et baccara
Que de noms bizarres !
Devant la table de sapniwai,
Tout près de celle de
quatre-quatre où sont assis
Kai Sou, Makai Lin et ce
croupier à la voix chaude... »
(Clifford Ng Kwet Chan)

le palais du gouvernement

Le Général Comte de Malartic s'était illustré pendant la guerre
au Canada. Brave et chevaleresque. Ayant appris que
la femme du Commodore Lossack qui commandait le blocus
de l'île de France, avait accouché d'un fils, Malartic lui faisait
envoyer chaque jour en tête de rade, sous pavillon parlementaire,
du lait et des légumes frais. L'on rapporte qu'à la mort
du vieux gouverneur en juillet 1800, une délégation anglaise,
toujours sous le drapeau parlementaire, obtint d'assister
aux funérailles nationales qu'on lui fit.

L'Ile Maurice fait partie du Commonwealth Britannique
dont la Gracieuse Souvêraine est Sa Majesté Elizabeth II,
représentée par un Gouverneur Général mauricien.
La Reine et le Prince Philip séjournèrent à Maurice en 1972.

L'année de son arrivée, en 1735, Mahé de Labourdonnais fit commencer la construction de l'Hôtel du Gouvernement qui fut achevé l'an suivant. Le bâtiment n'avait qu'un étage ; le deuxième fut ajouté en 1809 par le général Decaen, le dernier gouverneur français. L'Hôtel du Gouvernement est le plus ancien bâtiment de l'île. Il se tient au cœur même de son histoire depuis la date lointaine où l'illustre gouverneur fit de Port Louis la capitale.

Ici se sont succédé tous ceux qui ont parlé au nom de la Compagnie des Indes, des Rois de France, de la République, de l'Empire français et de la Couronne Britannique, en attendant que leur succède, en 1968, le Gouverneur Général, représentant de Sa Majesté la Reine, et le Premier Ministre d'un pays indépendant au sein du Commonwealth Britannique.

Dans la cour rectangulaire, les musiques ont joué la Marche des Rois, la Marseillaise, Veillons au salut de l'Empire, le God Save (pour le Roi ou la Reine...) avant l'hymne national mauricien. Le drapeau fleur delysé, le tricolore, l'Union Jack ont flotté tour à tour sur les toits où se déploient aujourd'hui les couleurs nationales mauriciennes. Deux drapeaux souverains furent hissés sur le même mât le 18 juin 1940 lorsque le Général de Gaulle lança l'appel à la continuation de la guerre aux côtés de l'Angleterre.

Aujourd'hui entouré d'imposants édifices modernes qui n'ont pas la grâce des vieilles demeures coloniales, l'Hôtel du Gouvernement a sans doute perdu cette domination territoriale qu'il exerçait jadis sur les alentours où s'élevaient des constructions plus modestes. Des bâtiments contigus à l'hôtel construits par Mahé de Labourdonnais et ses successeurs ont été démolis. Ecuries... remises... salle de banquet située à l'arrière et qui servait aussi comme Chambre du Conseil... Il est de nos jours réduit à ses imposantes structures essentielles et amputé de tous les bâtiments secondaires, qui se trouvaient à l'arrière et sur la droite. Ces vieilles constructions au charme désuet et lourd, riches eux aussi de tant de souvenirs, n'ont pas résisté aux exigences d'une administration en mal de bureaux. Ainsi disparurent un bâtiment construit par Labourdonnais où se trouvaient bureaux et boutiques de la Compagnie des Indes ainsi qu'une Salle du Conseil Supérieur qui devint ultérieurement chapelle, on y mit les restes de Madame de Labourdonnais et de son fils morts en 1739. Une rue, longtemps défunte, la rue des Bons Enfants (pourquoi ce nom ?) séparait cet édifice de l'Hôtel. De nos jours les réunions du Parlement ont lieu dans un bâtiment plus fonctionnel et moins gracieux à l'arrière de l'Hôtel. Les appartements et les bureaux de Labourdonnais et de ses successeurs se situaient au premier étage où se trouvaient aussi la Salle du Conseil et la Salle de Compagnie devenue avec les Anglais la Salle du Trône.

Les Gouverneurs britanniques résidaient souvent à l'Hôtel du Gouvernement pendant l'hiver. C'était la belle saison mondaine où la capitale était particulièrement animée : courses... théâtre... concerts... Réceptions et thés donnés à l'Hôtel par les épouses des Gouverneurs. Les occupants et les visiteurs jugeaient diversement le confort et l'allure du vieux bâtiment.

« Grand bâtiment sans élégance formant trois côtés d'un carré avec l'ouverture face au port », tandis que le Gouverneur Gordon trouve qu'il ressemble à une énorme volière en osier ! Mais les chaleurs de l'été tropical mettaient peut-être à rude épreuve ces Anglais qui avaient la nostalgie de la campagne anglaise. Quant au mobilier que certains jugeaient inconfortable et trop rustique, il eut fait aujourd'hui la fortune des antiquaires et la ruine des amateurs de « Compagnie des Indes » : chaises en bois de cannelle, chaises

de l'Inde, commodes en bois de natte avec des garnitures d'or moulu, pendule garnie de bronze avec son « pied d'estal », tables de marbre et consoles dorées. L'inventaire cité par Marcelle Lagesse et Harold Adolphe dans leur livre sur l'Hôtel du Gouvernement, est d'une pittoresque abondance.

Les fêtes données par les gouverneurs français et anglais ont fait grande impression sur les invités et sur les étrangers de passage : soupers, bals, banquets, thés, levers n'ont jamais manqué aux traditions d'élégance et de distinction d'une île également connue pour son hospitalité.

Le premier bal dont on ait retenu les fastes fut donné par le Gouverneur Lozier Bouvet, le 31 mai 1754, lors du passage de Godeheu, directeur de la Compagnie des Indes. Sans doute n'eut-il pas l'éclat du bal donné pour les relevailles de Madame Poivre, la jolie femme de l'illustre intendant du Roy, le 4 octobre 1770 : sept cents invités ! L'on se plaît à imaginer la foule brillante et animée qui se pressait dans les salons illuminés, débordant dans la cour d'où l'on découvrait au fond de la vaste perspective qui s'ouvrait sur la rade, les voiliers à l'ancre, se balançant mollement au gré de la douce nuit d'octobre. Le Vicomte de Souillac y donna de brillantes réceptions que le bailli de Suffren trouvait amollissantes pour ses officiers et provoquèrent son jugement trop sévère pour une île qu'il appela « la Cythère de la mer des Indes ».

Les occasions ne manquèrent pas pour faire danser les jolies femmes de l'île de France : célébration de la fête du Roi... Heureux accouchement de la Reine... Bal de la Saint Louis... Couronnement de l'Empereur... Naissance du fils du Gouverneur Decaen (on ajouta à ses prénoms celui d'Isle de France ! comme on l'avait fait pour la fille de l'Intendant Poivre)...

Les Anglais suivent la tradition. Ils y ajoutent « at homes » et levers, et plus tard les cocktails. Les membres de la famille royale visitent la Perle de la Mer des Indes. Bal pour le Prince Alfred, duc d'Edimbourg le 24 mai 1870. Bal pour le duc d'York, le futur George V le 5 août 1901. Brillante réception pour celui qui devint le roi George VI et pour la duchesse d'York le 1er juin 1927. Sa Majesté la Reine Elizabeth et le duc d'Edimbourg y sont reçus le 23 mars 1972.

Mais le bal dont l'histoire a retenu le nom est rattaché à la philatélie. C'est en effet à l'occasion du bal donné par Lady Gomm le 30 septembre 1847 que furent utilisés les célèbres timbres *Post Office* pour les invitations. Le nom de Lady Gomm est aussi associé à un fête donnée l'année précédente qui porte le nom étrange de « bazar » — mot oriental qu'on remplacerait par le substantif anglais «fancy fair» que l'on traduirait approximativement par gala de bienfaisance !

La femme du Gouverneur voulait ainsi recueillir les fonds nécessaires pour l'achèvement du mausolée érigé au Champ de Mars au chevaleresque Comte de Malartic.

Des remous politiques que rapporte un chroniqueur lors de ce « bal costumé du 3 septembre 1829 qui fait tourner toutes les têtes. 500 invitations ». En effet, le sergent de garde avait cru reconnaître un invité costumé en Napoléon. Halte là ! Est-ce le grand Empereur dont le souvenir était toujours vivace à l'ancienne île de France... Mais non !! Ce n'est que l'Empereur de Russie ! On le laissa entrer...

Le vieil Hôtel du Gouvernement, comme le Réduit, subit les menaces des hommes et des éléments. La plus grave fut sans doute ce terrible incendie de 1816 qui ravagea les deux tiers de la capitale. Le feu arriva jusqu'à l'Hôtel, détruisit les écuries, s'alluma sur un toit. Le courage et les efforts désespérés du sergent anglais James Hastie vinrent à bout de ce début d'incendie.

L'entretien de l'Hôtel coûtait cher et trop souvent l'argent compte plus que les souvenirs... L'on voulut un temps d'une seule résidence pour les gouverneurs. Le souci de leur épargner les chaleurs de l'été torride fit envisager la construction d'une résidence en dehors de la ville, près du vaste Champ de Mars au pied des montagnes brassées par les vents. La municipalité de Port Louis devait acheter alors l'Hôtel pour y aménager ses bureaux. Le projet approuvé et les dés jetés, l'intervention d'un membre élu du Conseil, Henri Kœnig, le sauva encore une fois. Un Français le construisit... Un Anglais le sauva des flammes... Un Mauricien lui conserva sa vocation première.

Labourdonnais revint dans l'actualité en décembre 1829 : des travaux effectués à l'emplacement de l'ancienne chapelle du Conseil Supérieur, mirent à jour un cercueil où se trouvaient les restes de Madame de Labourdonnais et de son fils dont le Gouverneur ordonna la translation à la cathédrale de Port Louis. Translation effectuée avec beaucoup de pompe et d'émotion selon le chroniqueur Barthélémy Huet de Froberville. Piquet de 50 hommes des troupes de ligne. Musique du 82e régiment d'infanterie. Tandis que les marins d'un navire français en rade portaient le cercueil.

Chaque année lors de l'ouverture solennelle de la nouvelle session législative c'est toujours sur l'esplanade de la Place d'Armes, face à l'Hôtel du Gouvernement, que le Gouverneur Général accompagné du Premier Ministre, passe en revue la garde d'Honneur qui se replie ensuite, musique en tête, vers les Casernes construites au 18e siècle. La tradition continue...

Lady Gomm épouse du gouverneur britannique, organisa une fête pour trouver les fonds nécessaires à l'achèvement du monument élevé au chevaleresque gouverneur français Malartic mort à l'Ile de France, en 1800. C'est le bazar Malartic dans la cour de l'Hôtel du Gouvernement en 1846. Lointain prélude à l'Entente Cordiale...

C'est au début du règne de la Reine Victoria, en 1839, que fut ouvert à Port Louis le Consulat de France.
« Victoria, by the Grace of God, of the United Kington of Great Britain and Ireland, Queen defender of the Faith, à tous
nos bien-aimés sujets que cela peut concerner, Salut. Comme notre bon frère le Roi des Français, a par une commission
en date du 31e jour d'octobre dernier, nommé M. Jean Marie Eugène d'Arvoy, aux fonctions de Consul de notre bon frère,etc... »

C'est l'approbation, que signe Lord Palmerston, donnée par l'Ordre de Sa Majesté au Château de Windsor et qui est adressée au
Maréchal Soult, duc de Dalmatie, ministre du Roi Louis Philippe.

113

L'été est comme ailleurs, la saison des fruits qui se prolonge avec les longanes, les mangues et les avocats jusqu'en fin mars. Mais le letchi est l'orgueil de décembre qui couvre les arbres de milliers de fruits qu'il faut protéger des garnements et des chauve-souris venues des montagnes... La coque rouge et rugueuse enveloppe une chair sucrée et nacrée, l'arille qui contient une graine noire. Ce fruit introduit de Chine — parfois appelé « prunes chinoises » ou « cerises de Chine » — fut déterminé par le naturaliste Sonnerat qui séjourna à l'île de France et fut l'ami de Pierre Poivre.

« Le marché central — j'aime mieux le mot bazar ! — est une excellente synthèse de la vie mauricienne. En décembre il brille de tous ses feux. Le bazar central est aussi une fête d'odeurs... »
(Pierre Renaud)

Depuis près d'un demi-siècle les curieux et les patients se pressent devant cette échoppe de simples dont les tisanes guérissent, paraît-il, tous les maux. Ainsi que le suggèrent les étiquettes pittoresques.

PORT LOUIS

Les premiers colons débarquèrent au Port Nord-Ouest avec le Gouverneur Denyon le 7 avril 1722 ; sept ans après la prise de possession de l'île au nom du Roi par Guillaume Dufresne d'Arsel, on érigea quelques constructions en bois dans ce lieu appelé *le Camp* au sein duquel selon des plans pour un emplacement fortifié, devait se dresser *la Loge*. Mais c'est Labourdonnais arrivé en 1735 qui créa le port et la ville au lieu choisi par Maupin et nulle autre statue que la sienne ne mérite mieux d'accueillir le visiteur sur cette Place du Quai. Est-ce parce que ce créateur de ville fut aussi un conquérant dans l'Inde qu'un voyageur au siècle dernier, trouve que *« cette statue est d'un style moitié européen moitié asiatique... »* Œuvre de synthèse d'un statuaire qui le pensait peut-être aussi !

Aujourd'hui élevée au rang de cité par Sa Majesté la Reine, Port Louis a un Lord Maire qui administre une ville de 150.000 habitants. Les quelque 500 navires qui y font escale chaque année apportent et emportent 1.500.000 tonnes de marchandises. Ville d'affaires et capitale, Port Louis était aussi le centre d'une brillante vie mondaine et culturelle. Les belles créoles rivalisaient d'élégance au théâtre, aux concerts et aux courses. Bals et fêtes se succédaient pendant la saison d'hiver à l'hôtel du Gouvernement et dans les magnifiques demeures du quartier résidentiel. De nombreux visiteurs étrangers ne ménagent pas leur admiration : Arago écrivit *« qu'il y a moins de distance de Paris à Maurice que de Paris à Bordeaux... »* Rien d'étonnant que cette société raffinée envoie à Lamartine en détresse 100.000 francs pour que *« l'humble hommage de notre petit pays adoucisse l'amertume de votre cœur blessé... »*

En 1865 tout cela allait brutalement changer sous la piqûre d'un moustique vecteur de la fièvre malaria arrivée de l'Inde avec les immigrants : des milliers de morts en deux ans que dura le plus fort de l'épidémie qui allait chasser vers les hauts plateaux plus salubres où se créent de nouvelles villes, les citadins et les planteurs du littoral. Et les belles maisons de Port Louis et du quartier de la Grande Rivière sont closes dans leurs jardins déserts. La mort et l'exode, comme l'on souffle une bougie, ont éteint la musique, les danses, la gaieté...

Port Louis se remit mal de ce traumatisme. Après l'épidémie, toujours endémique pendant l'été, de nombreux habitants revinrent y séjourner l'hiver, comme on passe aujourd'hui cette saison à la mer, et la vieille cité retrouva pendant longtemps, jusqu'au milieu de notre siècle, l'éclat et le charme des années passées.

Invité à prendre sa part de vie port louisienne « dans la cohue diurne et le tiède mystère nocturne » comme l'écrivait le poète Pierre Renaud, le visiteur aura fait le tour des magasins de tissus de l'Inde, des boutiques chinoises, des restaurants européens ou orientaux, du musée, du Marché Central ou bazar pittoresque, des lieux saints, cathédrale, temple, pagodes et mosquée.

Mais Port Louis renaît toujours du labeur et de l'industrie des hommes. Trépidante ville d'affaires où l'évolution et le temps ont depuis longtemps confondu ces quartiers où se compartimentaient jadis les différentes ethnies : Quartiers de l'Est, du Centre, de l'Ouest... Camp des Malabars venus de la Côte de l'Inde.. Camp des Yoloffsou Africains... Camp libre des affranchis... Camp des Lascars ou des gens de mer, assimilés aux Musulmans. Il manquait au siècle dernier ce Quartier Chinois aussi trépidant le jour avec ses boutiques étranges que la nuit avec ses restaurants et ses boîtes de jeu où papillotent touristes, citadins et campagnards en goguette, mêlés à la faune habituelle des capitales et des ports.

Ces légumes étranges sont des lalos que l'on nomme en anglais « Lady's fingers » ou « doigts des dames »...

▷

Vannerie... épices de l'Inde où dominent les poudres à curry, le safran et les piments secs. Flacons mystérieux...

« Elles croquent muscades
et piments
Comme des friandises.
Leut teint pâle rosit à peine
A l'enfer des condiments... »
(Solange Rosenmark)

Les dames créoles ou les étrangères
qui ne les craignent point se
délecteront, des yeux ou de la
langue, de la pâtisserie orientale du
bazar. Ce sont des gâteaux piment...

Le Trou aux Cerfs est le cratère le mieux conservé de l'île.

CUREPIPE

C'était jadis un relais de poste avec auberge et poste de garde sur la longue route de Port Louis à Mahebourg. Deux éléments sont à l'origine du développement rapide de Curepipe : l'ouverture de la ligne de chemin de fer qui relia ces deux villes en 1866 et l'épidémie de fièvre qui, l'année suivante, chassa de nombreux habitants de Port Louis et du littoral vers les hauts plateaux. C'était aussi l'époque où l'on défrichait les sombres forêts qui abritaient jadis les noirs marrons et plus récemment, quelques bandits de grand chemin. Les grands bois riches en cerfs, se rétrécissaient au profit de la canne à sucre. C'était l'époque de la grande expansion sucrière.

Curepipe est située dans le quartier de Plaines Wilhems dont le nom date de l'occupation hollandaise. Ou bien était-ce le nom de cet allemand Wilhem, ancien pirate — « l'homme aux oreilles coupées » — abandonné dans l'île et que les Français auraient découvert dans les hautes forêts de l'île ? Quelque incertitude aussi au sujet de l'appellation Curepipe. Le voyageur s'y arrêtait pour curer sa pipe... L'on avait dit que c'était le nom d'un village des Landes. (Confusion sans doute causée par le nom que donna à sa villa près d'Arcachon, un Mauricien qui avait la nostalgie des plateaux embrumés.) La première hypothèse l'emporte...

Curepipe se développa dans ces lieux humides où se trouvait la Mare aux Joncs aujourd'hui disparue. Et les haies de bambou, véritable mur végétal typiques des hauts, séparèrent les propriétés tandis que les lotissements empiétaient sur la forêt. Aujourd'hui la ville a grignoté les flancs du Trou aux Cerfs, volcan éteint dont les versants sont occupés depuis longtemps par une élégante ville résidentielle qui s'appelle Floréal dont les jardins fleuris, dans un climat moins humide, s'ouvrent vers le couchant, sur les horizons infinis de la Mer Indienne.

La ville fut aussi, elle le demeure un peu, une capitale cynégétique grâce à sa situation au cœur de l'immense forêt qui recouvrait les hauts plateaux. Dans les familles où l'on a conservé ces traditions de chasse, l'on évoque toujours devant les trophées de sangliers et de cerfs, ces battues royales organisées par les nemrods curepipiens en l'honneur des princes royaux, futurs monarques comme George V et George VI. Tradition inaugurée avec la venue du Prince Alfred, duc d'Edimbourg en 1870.

Mais l'Histoire s'accroche à l'Eau Coulée, faubourg de Curepipe, où le célèbre navigateur La Pérouse acheta une propriété de 156 arpents en 1775 et connut une idylle avec une ravissante créole, Eléonore Broudou qu'il épousa. On éleva à l'Eau Coulée un modeste monument pour commémorer son passage comme on le fit près de la route qui conduit vers les hauts plateaux, pour Mathew Flinders, le découvreur de l'Australie. Prisonnier sur parole à l'île de France jusqu'en 1810, Flinders s'était lié d'amitié avec les familles de Chazal et Labauve d'Arifat chez qui il logeait. Ainsi à quelques années d'intervalle, deux illustres navigateurs connurent la même hospitalité. Et les mêmes frileuses brumes que leur firent oublier l'amour et l'amitié...

Aujourd'hui ville de 60.000 habitants, Curepipe, avec le défrichage intensif de la région, a perdu cette réputation qui justifia la remarque d'un humoriste. Il y a deux saisons : la petite saison des grandes pluies et la grande saison des petites pluies...

A Maurice, l'on démontait de belles
maisons pour les construire ailleurs !

En 1902 on reconstruisit
à Curepipe cette gracieuse
demeure appelée
« La Malmaison » et qui se
trouvait à Moka ! C'est
aujourd'hui l'Hôtel de Ville,
avec au premier plan la statue
de Paul et Virginie, œuvre
du sculpteur mauricien
Prosper d'Epinay.
Les Mauriciens n'hésitaient
guère à reconstruire dans
les quartiers les plus salubres
les belles résidences des
régions désormais infestées par
les moustiques vecteurs de la
terrible fièvre malaria et
« La Malmaison » en est un
des nombreux exemples.

Le Collège Royal, construit en 1913, sur l'emplacement de l'ancien collège, forma la plupart des éminents Mauriciens grâce à ces « Bourses d'Angleterre » décernées en fin d'études. Au premier plan à droite, le monument élevé après la Première Guerre Mondiale où servirent de nombreux Mauriciens, à la gloire du Poilu français et du Tommy britannique. Symbole d'entente cordiale.

Rien ne va plus!
Roulette... baccara... black jack...
Quatre-quatre!
Sans oublier les inévitables
machines à sous. D'aimables
croupières dirigent les jeux dans
l'ambiance luxueuse du
Casino de Curepipe.

Colonel Draper (1776-1841) ne fut pas seulement un soldat distingué qui servit en Egypte et sur le Continent. Ce fut aussi un sportif accompli qui, en 1812, fonda The Mauritius Turf Club, le plus ancien club hippique du monde après le Jockey Club anglais. Après sa retraite de l'armée, il occupa diverses fonctions officielles à l'île Maurice. Il épousa non seulement une Mauricienne, Lucile de K/lvel... mais aussi la cause des planteurs mauriciens contre les anti-esclavagistes anglais. Il mourut à l'île Maurice. Le colonel faisait partie de ces officiers anglais qui au début constituaient la grande majorité des coureurs. Une épreuve, The Draper,s Mile, commémore chaque année la mémoire du vieux gentleman qui avait fait de l'île Maurice sa seconde patrie.

Vaste Champ de Mars au pied de l'hemicycle de montagnes, terrain de parade des troupes, depuis Labourdonnais – ou de duels – et lieu de célébration des Sans culottides de la Révolution. « La musique militaire des régiments anglais vient y jouer de temps en temps vers quatre heures, écrit A. Erny, au siècle dernier, et ces jours-là on voit s'y presser des piétons et des voitures élégantes, près desquelles caracolent des jeunes gens à cheval. Ce sont les Champs Elysées du Port Louis... »
Aujourd'hui comme depuis 1812, le Champ de Mars est un cadre incomparable pour les courses hippiques et les commémorations.

Au Chinois sa boutique...
Au Musulman le commerce des
étoffes... L'Hindou règne sur la vente
maraîchère. Voici des petsai dont
le cœur se mange en salade et
les feuilles en « bouillon de bredes »
avec le riz.

le pays

« O mon petit pays. O ma belle Maurice
Frais bijou que le monde en un touchant caprice
Nomma la perle de ses mers... »

(C. Guevin : Les Savanaises - 1866)

Lataniers et vieille maison créole... sur fond d'azur et de siècle passé...

On les appelle Paul et Virginie...
depuis très longtemps ! En 1766
l'expédition Marion Dufresne
avait amené des îles une belle
tortue qui fut officiellement
remise aux autoritès
britanniques en 1810 ! Elle
mourut en 1918 d'une chute...
Cet accident de circulation
l'empêcha peut-être de fêter
son deuxième centenaire
car l'on a rapporté que des
tortues gigantesques des
Seychelles ont atteint cet âge.
Telle est l'histoire de cette
tortue de Sumeire selon la fiche
qui se trouve au Musée de
Port Louis. Mais c'est sans
doute la même tortue mascotte
d'un régiment anglais et qui
fut ramenée en Angleterre.
On reçut un jour à Maurice une
photo du colonel et de la tortue
avec la mention suivante :
Les deux plus vieux membres
du régiment...

Mangeur de poule (falco punctatus) oiseau le plus rare au monde

La grosse Cateau (Psitaccula Echo)

Oiseau banane ou Cardinal de Maurice (Foudia Rubra)

Le coq des bois (Terpsiphone Bourbarensis)

Aucune ne subsiste des somptueuses demeures qui faisaient l'orgueil de la région résidentielle de la Grande Rivière près de Port Louis. L'épidémie de fièvre malaria de 1865 en sonna le glas et fut à l'origine de l'émigration vers les hauts plateaux plus salubres. Seule, demeure la tour Kœnig pareille à un phare, dominant la route ou roulaient les beaux attelages... (Tableau de T. Bowler)

PROPRIETES

Il en reste quelques-unes seulement de ces vieilles maisons qui datent du XVIIIe siècle. La plus ancienne est le Château de la Villebague, au quartier des Pamplemousses sur une plantation dont Mahé de Labourdonnais fut l'un des propriétaires avec Athanase de la Ribretière.

Les deux superbes maisons qui se trouvent à Trianon, au centre de l'île, ont été construites vers 1770. L'une d'elles qui a subi quelques modifications, est le siège d'un grand club sportif, le Racing. Il existe encore de nombreuses belles demeures qui datent du siècle dernier ou du début de celui-ci. Ces vieilles résidences étaient l'orgueil des beaux quartiers résidentiels de la capitale et des environs, Cassis et la Grande Rivière. Celles des plantations faisaient figure féodale au milieu des jardins à la française avec leurs pièces d'eau, les vergers et les parcs qui abritaient des réserves de cerfs et des volières.

Les volières étaient en vogue, quoique les parcs étaient riches d'oiseaux et puisqu'on en associe l'image à celle des vastes propriétés de l'époque, énumérons rapidement ces oiseaux toujours nombreux aujourd'hui — à l'exception des espèces indigènes. Serin du pays, infatigable sérénadeur comme le rossignol, serin du Cap, boulboul joyeux et arrogant, cardinal écarlate, bengali et pingo voltigeurs, martin piailleur, trois espèces de tourterelles. Et un perroquet, la petite cateau dont le vol nombreux décime les champs de maïs. Ces oiseaux ont été introduits dans l'île à diverses époques.

Hélas ! elle est longue la liste des magnifiques résidences disparues : Mougoust, sœur jumelle du Musée de Mahebourg... Trianon... Benarès... Beau Vallon... Riche Bois... Richeterre... La Gaîté... Terracine... Le Hochet... On n'en finirait pas de citer ces noms qui évoquent les gracieuses châtelaines créoles et les rudes planteurs autour desquels gravitait toute une domesticité pittoresque, dont les serveurs en *chapkan* qui portaient la livrée de la Compagnie des Indes anglaises.

Outre les belles résidences des villes, il en reste encore sur les plantations pour maintenir les liens avec un passé colonial si proche et pourtant si lointain. Labourdonnais... Riche en Eau... Saint Antoine... Saint Aubin... Bel Ombre... Belle Vue... Villebague. Constructions où l'heureux mariage des bois indigènes, de la pierre et des bardeaux de teck a triomphé des éléments et du temps. Grâce aussi à la fidélité des propriétaires à des traditions et à un héritage qu'il est souvent difficile de maintenir. Beaucoup de maisons furent construites avec du teck importé d'Asie ou avec des bois indigènes comme le natte. On y trouvait aussi des pièces d'ébène — « *ce métal des premiers temps* » comme le dit le poète mauricien Edouard Maunick.

Douceur et confort des maisons créoles... charme et poésie des bois qui craquent... Des greniers où l'on monte par des escaliers qui grincent... On comprend que des fantômes aient choisi parfois de les hanter ! Mais que viendraient-ils faire aujourd'hui dans ces blocs de béton surchauffé dont ne s'accommodent guère ni le passé ni les revenants !... Autant en emporte le vent... Autant en emportent les ans !

Les larges vérandahs
ou varangues, typiques
des maisons coloniales, ont
inspiré le poète Toulet :
Au pays du sucre et des mangues.
Les pâles dames créoles
S'éventent sous les varangues
Et zézaient de lentes paroles...

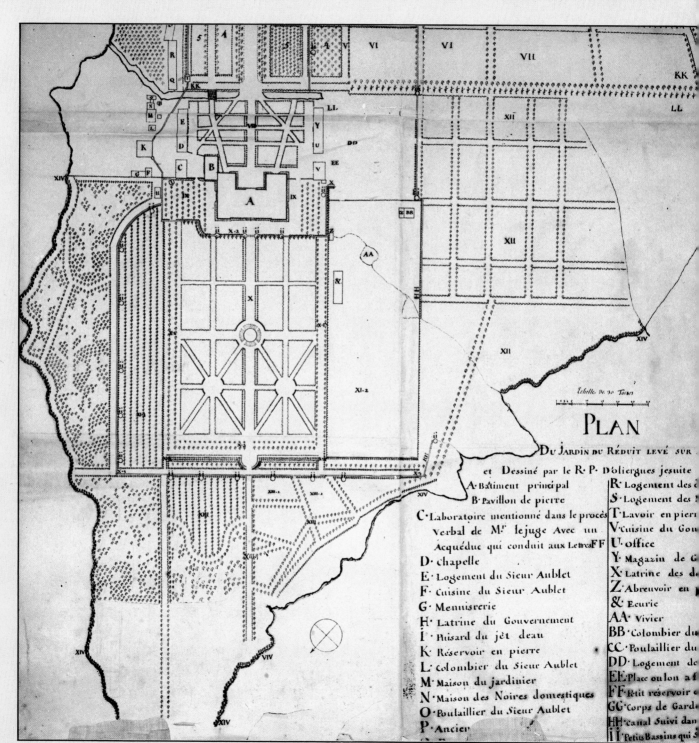

PLAN

Du Jardin du Réduit levé sur

et Dessiné par le R· P· D'oliergues jesuite

A· Bâtiment principal
B· Pavillon de pierre
C· Laboratoire mentionné dans le procès
Verbal de M· le juge Avec un
Acquéduc qui conduit aux Letres F F
D· chapelle
E· Logement du Sieur Aublet
F· Cuisine du Sieur Aublet
G· Mennisrerie
H· Latrine du Gouvernement
I· Puisard du jèt d'eau
K· Réservoir en pierre
L· Colombier du Sieur Aublet
M· Maison du jardinier
N· Maison des Noires domestiques
O· Poulaillier du Sieur Aublet
P· Ancien

R· Logement des
S· Logement des
T· Lavoir en pierr
V· Cuisine du Gou
U· office
Y· Magazin de G
X· Latrine des d
Z· Abreuvoir en
&· Ecurie
AA· Vivier
BB· Colombier du
CC· Poulaillier du
DD· Logement de
EE· Place ou l'on a
FF· Petit réservoir
GG· Corps de Gard
HH· canal Suivi dan
II· Petits Bassins qui S

Ce plan des jardins du Réduit fut levé sur les lieux et dessinés par le R.V. d'Obiergues en 1759.

Le Réduit, délimité par les rives abruptes et boisées de la Rivière Profonde et de la Rivière Cascade qui se rejoignent au pied d'un éperon rocheux. C'est le Bout du Monde où le Gouverneur David emmenait la belle inconnue dont l'Histoire n'a pas retenu le nom. Elle ne fut pas étrangère, dit-on, au choix du site isolé où s'éleva la résidence du Gouverneur.

Cette gracieuse demeure construite en 1778 et embellie par les gouverneurs qui s'y étaient succédé, n'avait rien de commun avec la petite forteresse du Gouverneur David en 1748, agrémentée de fossés, pont-levis, machicoulis et barbacanes! Un contemporain écrivait « Bien fin aurait été l'ennemi qui y aurait pénétré... Bien confus le mari jaloux qui se serait vu arrêté par 12 ou 15 pieds d'eau... ».

C'est après la Première Guerre
Mondiale qu'un Gouverneur
anglais, Sir Hesketh Bell, éleva
ce Temple d'Amour à la mémoire
de l'amoureux Provençal à qui
l'on doit le Réduit. On lit sur
la plaque l'inscription suivante :
A M. Barthélemy David, gouverneur
de l'île de France, en 1746,
le créateur du Réduit.
Ses successeurs reconnaissants.

C'est en 1882, plus de cent ans après la construction de la nouvelle résidence par le Gouverneur Guiran de la Brillane — ainsi qu'en témoigne le chiffre 1778 gravé dans la pierre fleurdelysée au-dessus de la porte d'entrée — que le vieux bâtiment subit d'importantes et solides modifications. Il menaçait ruine... Le botaniste Aublet créa les merveilleux jardins à la Française aujourd'hui disparus.

Décembre 1810 : les Anglais sont vainqueurs... L'Isle de France devient à nouveau Mauritius ! C'est à cette table, dit-on, que fut signée la capitulation française. L'artiste inconnu qui sculpta les moulures de cette merveilleuse table Compagnie des Indes, n'en prévoyait pas l'émouvante et historique destinée...

« *Nous parcourumes pendant deux ou trois jours les bois et nous trouvâmes notre affaire sur la pointe d'une isle entre Moka et Plaines Wilhems. Nous fîmes le tour de cet endroit et le trouvâmes totalement inaccessible, si ce n'est par la face qui regarde l'intérieur de l'isle. Je fis sur le champ mettre hache en bois pour en défricher l'intérieur...* »

C'est en ces termes que Barthélémy David qui succéda à Labourdonnais comme gouverneur général des Isles de France et de Bourbon, commente sa découverte des lieux où il fit construire le Réduit, résidence des gouverneurs de l'île jusqu'aujourd'hui, en 1748. Cette résidence méritait bien son nom. Située sur un éperon élevé, au confluent de deux rivières, on y accédait du côté opposé après avoir franchi un fossé et un pont-levis. Ce n'était qu'un petit fortin que protégeaient aussi des murs avec créneaux. Craignant un coup de main anglais après la tentative que fit l'amiral Boscawen pour s'emparer de l'île en 1748, le Gouverneur David avait voulu trouver un lieu éloigné de Port Louis, où les femmes et les enfants, ainsi que les papiers d'Etat seraient en sécurité en cas d'invasion. Il prévoyait aussi que la garnison pourrait s'y retrancher avec succès en cas d'invasion.

Il est amusant de noter que quatre vingt trois ans plus tard ! le Gouverneur Colville — qui protestait contre l'abandon éventuel du Réduit — déclara qu'il pourrait servir de refuge contre une attaque des Français. Mais la légende prête également d'autres vues au Gouverneur David qui voulait, dit-on, abriter dans ces lieux ravissants et déserts, des amours secrètes et passionnées. Ce Provençal amoureux savait sans doute concilier les intérêts du cœur et de l'Etat ! Si nul lieu n'était plus propice à la défense, nul autre ne convenait mieux en ces temps où l'on ne pensait guère à se dorer sur les plages merveilleuses et désertes de l'île de France, à une idylle romanesque.

Seuls le chant des oiseaux et le bramement des cerfs troublaient le silence. De l'éperon qui domine les gorges abruptes et boisées l'on découvrait un paysage admirable. Et la mer d'où viendrait la menace anglaise... Ce coin charmant, aujourd'hui encore loin des rumeurs de la civilisation, s'appelle le Bout du Monde. L'on imagine le Gouverneur David guidant les pas de sa bien-aimée sur les sentiers ouverts dans la végétation tropicale, qui conduisaient aux cascades dont la rumeur emplissait les gorges profondes. Les amoureux sont seuls au Bout du Monde...

D'importants personnages ne partageaient point le point de vue stratégique du Gouverneur David. Ainsi Godeheu, directeur de la Compagnie des Indes, de passage à l'île de France, trouve les lieux ravissants mais juge que les 80 millions de livres qu'avait coûtés le Réduit, auraient pu trouver un meilleur usage. Le Réduit n'en est pas moins demeuré la résidence officielle des Gouverneurs.

En 1778 le Gouverneur Guiran de la Brillane fit abattre les deux grands bâtiments qui comprenaient 34 pièces ainsi que les deux pavillons essentiellement construits en bois et qui étaient en très mauvais état. Une nouvelle résidence fut construite en retrait de l'ancienne construction qui se trouvait à peu près à l'emplacement du cadran solaire dans la grande pelouse. Elle était plus imposante et plus gracieuse. La pierre avait largement remplacé le bois. La pierre frontale à l'entrée indique la date 1778 au-dessus de la fleur de lys des Rois de France.

Le parc et le jardin dessinés vingt ans plus tôt par le botaniste Fusée Aublet, sont embellis et s'enrichissent des précieuses épices introduites par Pierre Poivre, l'Intendant du Roi. Fortunes oscillantes du Réduit, comme plus tard avec les Anglais. On veut le vendre. Triste abandon... Nouvelles fêtes ! Le Réduit va connaître une ère fastueuse avec le dernier gouverneur de l'ancienne monarchie. Le Vicomte de Souillac y donne des réceptions brillantes, comme à l'Hôtel du Gouvernement, tandis que le rude bailli de Suffren, en route pour la guerre contre les Anglais dans l'Inde, se plaint que les jolies femmes font perdre la tête à ses officiers ! Bientôt certains d'entre eux la perdront autrement sous la Révolution...

Le dernier gouverneur français qui habitera le Réduit est le général Decaen, un militaire à la poigne de fer qui s'était illustré à Iéna. Mais l'heure est proche où la musique du régiment jouera pour la dernière fois dans les jardins de la résidence *Veillons au salut de l'Empire...*

Le Réduit connaîtra un autre style de vie avec les gouverneurs de Sa Gracieuse Majesté Britannique. « Quel contraste, écrira plus tard un visiteur, si l'on compare la vive ardeur et les romanesques passions des gouverneurs français à la nature si froide et compassée de nos Excellences britanniques... » Mais certains d'entre eux ne voulurent pas être en reste avec leurs mondains prédécesseurs. Le premier gouverneur anglais Sir Robert Farquhar manifeste un vif intérêt pour la résidence tandis que son successeur, Sir Lowry Cole, militaire distingué et qu'on appelait « le gentilhomme le plus cérémonieux des Trois Royaumes... » ne tarde guère à donner des fêtes brillantes. 750 invités pour le premier bal deux mois après son arrivée. Souper de 250 personnes. Le Réduit retrouvait d'anciens fastes.

Le temps passe. La valse a succédé aux quadrilles et aux menuets. Elle s'efface devant les lanciers qui cèdent leur tour au tango. L'on danse toujours au Réduit qui vit avant la dernière guerre les beaux jours d'une époque révolue. Un grand seigneur, Sir Bede Clifford, époux d'une riche et belle Américaine, avait l'art de commander aux hommes et d'organiser les fêtes.

1968. L'île Maurice accède à l'indépendance. Un Gouverneur Général succède au Gouverneur. C'est un Britannique auquel succèderont des Mauriciens. L'ambiance change mais le Réduit ne perd rien de sa beauté.

Deux siècles de passé colonial, français et britannique, sont présents dans ces murs et dans l'immense parc où rôdent tant de fantômes.

Les jardins à la française avec leurs bassins et leurs cascades, ont disparu pendant la Première Guerre, victimes de la campagne menée contre le moustique anophèle vecteur de fièvre malaria. Et si le parc coupé d'allées cavalières, est moins vaste que jadis, le château construit par Guiran de la Brillane a été agrandi et embelli par ses successeurs anglais. Il

affiche une nouvelle élégance que n'aurait pas renié son véritable créateur. Il a triomphé des vicissitudes du temps et de diverses menaces. Ne voulut-on pas le vendre et même, pendant la Révolution, le transformer en collège ! Les cyclones ne le ménagèrent pas qui avaient exigé leur tribut des arbres séculaires du vaste parc. Et pendant le plus terrible de tous ces ouragans, celui de 1892 qui fit éclater les panneaux et voler les portes, le gouverneur Jerningham, avec l'aide d'un secrétaire et de deux serviteurs, lutta toute la nuit pour sauver le château !

Ce n'est qu'un petit château colonial, sans oubliettes, et sans autres fantômes que ceux qu'a laissés l'histoire et la légende... amoureuse ! Hommes de guerre et hommes de cour... Gentes dames et beaux officiers... Gouverneurs austères ou mondains... Altesses Royales en visite... Et peut-être à l'heure où le crépuscule descend sur le parc, celui de la belle inconnue qui fit battre éperdument le cœur du Gouverneur David.

L'on prétendit que le château était hanté par de vrais fantômes que le célèbre écrivain voyageur Nicholas Pike voulut affronter un soir. En vain car le fantôme ne résista pas à ce défi — et peut-être à l'accent ! — typiquement américain. Il ne parut pas...

Le passé vit aussi de la mélancolie faite du souvenir des hommes et des événements et l'on serait tenté de clore l'histoire du Réduit avec les vers cités par le Gouverneur Bede Clifford, dans la page liminaire de ses mémoires intitulés « Proconsul » :

> La vie est vaine,   La vie est brève,
> Un peu d'amour,   Un peu de rêve,
> Un peu de haine   Un peu d'espoir,
> Et puis - bonjour ;   Et puis - bonsoir.

Ce charmant poème s'intitule : Peu de chose et presque trop... Ne résume-t-il pas un peu l'histoire de la belle résidence des Gouverneurs...

Un décolleté audacieux

« Un soir à un grand dîner au Réduit, M. de la Brillane avait à sa gauche une dame aussi jolie qu'outrageusement décolletée. On venait de se mettre à table et selon la coutume d'alors, l'amphitryon servait lui-même le potage. Un coulis de bigorneaux et de tecs tecs des plus pimentés eut le don de titiller à un tel point les papilles de la belle dame qu'une violente crise de toux s'ensuivit et que dans les efforts qu'elle fit, les richesses d'un opulent corsage se montrèrent dans tout leur éclat. Le gouverneur ne perdant pas la tête, se servit de la louche qu'il avait en main pour faire rentrer les mutins dans le devoir, et continua ensuite avec un flegme imperturbable, à distribuer à la ronde le potage révolutionnaire... » *(Anecdote rapportée par A. Bouton)*

Combien de gracieuses mains féminines effleurèrent ce ravissant guéridon qui orne le salon des Gouverneurs, d'où l'on découvre une vue splendide sur le parc du château...

Menuets... Quadrilles... Valses... Tangos. Que de charmants fantômes hantent la salle de bal! Au mur le portrait de Sa Majesté Elizabeth II : l'Ile Maurice indépendante fait partie du Commonwealth Britannique.

Ce très ancien cadran solaire avec la pierre où est gravée l'inscription que termine la date 1778, se trouve à l'emplacement où s'élevait le bâtiment construit par David au coût de 80 millions de livres ! Protégé par des fossés, on y accédait par un pont-levis.

le jardin des pamplemousses

Pierre Poivre (1719-1786) fut le véritable créateur du Jardin des Pamplemousses. Arrivé à l'île de France en 1746, il la quitta définitivement en 1778 après y avoir accompli une œuvre considérable. Il y introduisit au péril de sa vie les épices des Indes néerlandaises. Intendant du Roi, il fut aussi un administrateur remarquable.

Cette charmante lithographie de Milbert représente la vieille église des Pamplemousses, face au Jardin. Construite en 1756 et agrandie en 1855, c'est la plus ancienne de l'île.

Il ne faut pas confondre ce bâtiment appelé Château de Mon Plaisir avec la maison depuis longtemps disparue, construite par Labourdonnais à l'entrée du Jardin. Cette maison, construite par les Anglais, est tout juste centenaire.

Si l'île Maurice est le paradis de l'hémisphère austral on peut dire que le Jardin des Pamplemousses est le paradis de l'île Maurice ».
Jules Leclerc

Peu de temps après son arrivée à l'île de France, Mahé de la Bourdonnais acquit la propriété Mon Plaisir, le 5 juillet 1735. Il y fit construire une vaste maison qu'on appela château où il résidait quand il n'habitait pas l'Hôtel du Gouvernement à Port Louis. Il y continua ses séjours après avoir revendu Mon Plaisir à la Compagnie des Indes le 14 février 1737.

Mon Plaisir ne fut pas seulement un lieu de repos. Le Gouverneur Général des Iles de France et de Bourbon, toujours soucieux de mettre en pratique ces vertus qu'il prêchait aux colons, y créa potagers, pâturages et vergers où il cultiva des plantes utiles comme le manioc qu'il avait introduit du Brésil, s'y développa et avec d'autres produits agricoles, contribua au ravitaillement de Port Louis et des bateaux qui mouillaient dans le port que créait Labourdonnais.

Ainsi commença Mon Plaisir dont la vocation utilitaire s'affirma au cours des années. Pépinière de plantes rares ou utiles, elle y accueillerait ces épices qui ne feraient point la fortune de l'Ile de France comme on l'espérait. Plus tard on y verrait s'acclimater des variétés de canne à sucre qui allaient enrichir les planteurs.

Ceux qui eurent la responsabilité de Mon Plaisir, avaient aussi l'amour de cette généreuse nature tropicale où ils vivaient. Ainsi devait s'affirmer la réputation d'un jardin botanique qui devait être l'un des plus beaux du monde. Ils créèrent des parterres, des avenues et des bassins. Après les ravitailleurs de vivres, vinrent les naturalistes et les savants. Les artistes, les écrivains et les poètes. Les amoureux y étaient déjà. Bien avant la dame Créole de Baudelaire...

La propriété qu'avait achetée Labourdonnais changea plusieurs fois de nom au cours des années. Jardin de Mon Plaisir... Montplaisir... Jardin des Plantes... Jardin Royal... Jardin Botanique des Pamplemousses... Jardin National de l'Isle de France tandis qu'aujourd'hui c'est le Royal Botanical Garden qu'il est aisé de traduire. Noms changeants qui, depuis deux siècles, s'attachent l'un à l'autre comme des souvenirs.

Pierre Poivre fut le véritable créateur du Jardin des Pamplemousses que le départ du botaniste Aublet et les dissensions entre les responsables du domaine avaient réduit au rang de grand potager. Les absorbantes fonctions d'Intendant du Roy de Poivre ne l'empêchèrent point de se consacrer avec passion à Mon Plaisir dont il s'était rendu acquéreur en 1770.

Le quartier de Pamplemousses tient son nom d'un agrume que les Hollandais appellent *Pampelmoes* proche du mot *Pampelmouze* qu'emploie le naturaliste Fusée Aublet chargé par la Compagnie des Indes en 1753 d'établir dans l'île une pharmacie et un jardin botanique ! Aublet qui était très compétent mais de caractère fort difficile, à la suite de ses querelles avec Poivre, finit par délaisser Mon Plaisir pour le Réduit, la résidence des gouverneurs où il continua sa tâche.

A la suite de ses querelles avec Poivre, il serait accusé d'avoir arrosé avec de l'eau bouillante les jeunes plants de muscadiers ramenés par Poivre et fut plus tard la cible de cette lettre de Céré, successeur et ami de Poivre, adressée à « *tous les anti épiciers présents et absents...* »

Monsieur Le Poivre, comme il est désigné parfois, n'a pas donné son nom à cette épice. Il se destinait à l'état religieux avant de connaître une jeunesse aventureuse au cours de laquelle il visita de 1748 à 1757, les Indes, la Chine, la Cochinchine, les Philippines et les Moluques. Ami de Labourdonnais il lui avait soumis de vastes projets de commerce avec l'Extrême Orient et avait déjà rapporté à l'île de France ces précieuses épices dont l'exportation clandestine était punie de mort par les Hollandais qui défendaient farouchement leur monopole. C'est en 1771 qu'il fut nommé Intendant Général des Iles de France et de Bourbon. D'autres expéditions montées par Poivre en 1770 rapportèrent muscadiers et girofliers à l'île de France. Outre les épices, poivre, cannelle et muscade, le Jardin s'enrichit d'autres plantes rares et d'arbres fruitiers.

Bientôt comme l'écrivait un voyageur, on verrait « *croître et prospérer dans cet établissement des végétaux que la nature avait séparés par de grandes distances et des climats différents* ».

Jean Nicolas de Céré, né à l'île de France, succède à Poivre qui avait revendu sa propriété au Gouvernement Royal. Il y consacra sa vie et sa fortune pour en faire « *un des plus beaux jardins de la Terre, le plus curieux, le plus riche, le plus utile qui existe* ». Et c'est bientôt le grand événement de l'année 1775 : deux fleurs de giroflier ! « *L'une tombe mais la seconde noue et porte fruits*, écrit un chroniqueur, *une chétive petite baie qui fut surveillée comme un trésor...* » On envoya à Poivre un cornet de clous de girofle qui l'enthousiasmèrent : « *Les épiceries de notre sol sont plus fraîches et plus aromatiques que celles venues par la voie des monopoles hollandais* ».

Deux ans plus tard on fait bonne récolte de girofle tandis que les muscadiers boudent... Mais le 7 décembre 1778 « *le Gouverneur La Brillane, escorté de l'Intendant, des principaux officiers de l'administration, des corps constitués et des notables habitant la colonie, se rendit à Mon Plaisir où Céré lui offrit une réception superbe. La noix fut détachée de sa branche avec une certaine solennité et expédiée au Roi par la première occasion qui se présenta* ».

Mais en raison de difficultés financières, le Gouvernement Royal vend le Jardin et ses 129 arpents. Le Gouvernement Impérial le rachète en 1805. Le Jardin occupe alors 60 arpents tandis que 30 arpents de poivriers, de girofliers et de muscadiers prospèrent. Les colons des deux îles créent des plantations. Céré poursuit ses efforts et introduit un grand nombre d'arbres fruitiers. Il pouvait écrire sans forfanterie : « *J'ai été jusqu'ici le plastron et le soutien de ces arbres précieux* ».

Depuis l'aventure portugaise, deux siècles plus tôt, l'Europe rêvait d'épices. Autant que d'or pourrait-on dire, puisque le girofle ramené par les Portugais des lointaines Moluques, s'est vendu 800 fois plus cher à Londres ! Les Hollandais savaient entretenir leur monopole et pour en maintenir les cours, limitaient les plantations et détruisaient les excédents de récolte. C'était ce fameux « incendie des épices » où s'envolait en odorante fumée « de quoi payer une dot d'infante ».

La folie des épices, comme jadis la folie de l'or, s'était emparée des hommes. L'aventure des épices eut ses héros, ses martyrs, ses contrebandiers et ses agents secrets ! Elle eut aussi ses bourreaux avec ces Hollandais cruels et jaloux des richesses de cet empire des Indes où la nature avait groupé tant de trésors.

L'île de France malgré tous les efforts, ne serait jamais un autre paradis de la muscade, de la cannelle et du girofle. Mais le girofle exporté de l'île vers Zanzibar en 1818, y trouverait des conditions si propices à son développement qu'il ferait la fortune des sultans et détruirait le monopole des Indes Hollandaises natives comme plus tard l'hévéa amazonien subirait la fatale concurrence des plants exportés en Malaisie. L'île de France exporterait les plants d'épices à l'île Bourbon, à Madagascar, aux Seychelles et jusqu'à Cayenne et Saint Domingue.

L'œuvre admirable de Céré fut continuée par son fils. Mais la conquête anglaise vit la décadence du Jardin. Les efforts de deux naturalistes anglais Newman et Telfair amorcèrent un renouveau qui s'épanouit avec le directeur Duncan au milieu du siècle dernier. Ne distribua-t-il pas 25 925 plants aux habitants de la colonie dans la seule année 1862.

La tâche continue malgré les aléas et la vocation du Jardin s'affirme. Les pépinières regorgent de plantes utiles et décoratives, d'arbres fruitiers et d'arbres de forêt, de tabac, de canne à sucre, de café et aussi de plants d'épices. 317 921 plants distribués en 1905 ! Il y a toujours des épices à l'île Maurice mais leur culture modeste ne suscite plus les grandes espérances de jadis. Le Jardin continue son rôle utile avec des pépinières. Il a une vocation plus touristique aujourd'hui.

Mais personne n'écrirait plus comme Jules Leclerc sur son rôle utilitaire, des propos encourageants pour le touriste mais désolants pour le restaurateur :

« *Mentionnons l'arbre à beurre qui permet au voyageur de beurrer le pain que lui fournit l'arbre à pain et l'arbre qui lui offre une boisson savoureuse. Pour compléter son déjeuner, il pourra faire son dessert du fruit parfumé du manguier, soit de la pomme de l'arbre à feuille d'or, l'un des fruits les plus délicats que fournit le sol de l'Inde...* »

Plus d'épices se lamente un autre écrivain, Hart. « *Combien déchues de leur grandeur, disons plus prosaïquement de leur valeur primitive, les cultures des plantes précieuses d'autrefois, arbres à fruits d'or des lointaines Hespérides, que de hardis voyageurs, l'âme embrasée de l'enthousiasme sacré qui exaltait les héros des vieux âges, allaient arracher au péril de leur vie, aux dragons à cent têtes préposés à la garde de ces trésors...* »

Au pays parfumé
que le soleil caresse
j'ai connu sous un dais d'arbres
tout empourprés
Et de palmiers d'où pleut sur les
yeux la paresse
Une dame créole
aux charmes ignorés

(Baudelaire...)

Touriste fort décolletée, pâmée
de chaleur et de soleil...
Ou ravissante hindoue en
châtoyant sari. Les palmiers
du Jardin abritent des beautés
diverses!

Les bassins sont ornés de plusieurs espèces de nympheas dont le nénuphar géant de l'Amazone (Victoria Amazonica), appelé aussi Victoria Regia. Les fleurs s'ouvrent dans l'après-midi et se referment le matin. Blanches le premier jour et roses le second jour. Elles sont fort parfumées. Les rives de certains étangs sont couvertes d'une végétation exubérante où l'on distingue plusieurs variétés de palmiers, ainsi que le célèbre ravenal de Madagascar, connu sous le nom « d'arbre du voyageur ».

Certains arbres indigènes, très rares,
ont survécu à la violence plus que
bicentenaire des ouragans et sont
contemporains de Labourdonnais et
de Poivre. Un ébénier... Un benjoin...
Il existe aussi d'autres splendides
spécimens exotiques, plantés au
Jardin près de deux siècles plus tôt,
tels ce sagoutier qui a plus de six
mètres de circonférence ; un
baobab ; un ficus religiosa près des
bassins de gouramis. Jadis les forêts
indigènes couvraient l'île : elles en
occupent seulement aujourd'hui un
pour cent de la superficie ! Réserves
où l'on trouve encore des arbres
millénaires, créées après la dernière
guerre mondiale sur l'initiative de
deux savants naturalistes, le
Dr R.E. Vaughan, établi à Maurice
depuis 50 ans, et le Dr O. Wiehe,
un Mauricien.

Le Talipot (corypha umbraculifera Linn) appartient à la famille des palmiers. Splendide influorescence qui fait longtemps l'admiration des amoureux de la nature et qui survient au bout d'une quarantaine d'années – et non d'un siècle ! Le talipot meurt ensuite dans toute sa gloire inégalable... Dans l'Inde certains livres sacrés sont écrits sur les étroites feuilles de talipot.

Le talipot est communément appelé « pié cent ans » (arbre de cent ans !). Les naturalistes estiment que l'inflorescence d'un palmier atteindrait quelque 50 millions de fleurs... Inflorescence haute de plusieurs mètres !

Quelle grandiloquence ! Mais l'auteur de conclure plus modestement : *« Nous ne nous soucions plus à présent d'être des épiciers en gros, parfumant l'air de pénétrantes senteurs ; nous laissons à d'autres le soin de fournir le monde de poivre, de cannelle, de muscade et de girofle... C'est du sucre aujourd'hui que nous vient notre fortune. »*

C'est au crépuscule, toujours complice de l'Histoire, dans le chant des oiseaux au cœur des hautes ramures, qu'il convient d'évoquer le souvenir de ceux qui ont passé ici. Ceux qui créèrent le jardin, l'embellirent et le mirent au service de l'agriculture. Les illustres visiteurs qui séjournèrent dans le vieux « château » aujourd'hui disparu, construit par Labourdonnais près de l'entrée du Jardin. Et dans ce bâtiment à étage, toujours baptisé « château » édifié par les Anglais au cours du siècle dernier et que l'on découvre au fond de l'avenue principale.

Personnages célèbres de l'Histoire, des sciences et des arts. Le gouverneur David qui le délaissa pour le Réduit (*« Laissez donc le Réduit à Monsieur David et Pamplemousses à Monsieur Poivre »*). Pierre Poivre... Céré. D'illustres savants comme l'Abbé Rochon, Sonnerat, Commerson, l'Abbé de la Caille. Liénard dont l'obélisque situé au cœur de l'avenue centrale porte les noms des bienfaiteurs de l'agriculture mauricienne. De grands marins comme Bougainville, Kerguelen, Laperouse, d'Entrecasteaux et le bailli de Suffren. Un illustre soldat, le Général Gordon qui devait mourir héroïquement à Khartoum et plus près de nous un autre militaire célèbre, Lord Mountbatten de Birmanie qui fut vice-roi des Indes. Des artistes comme Milbert qui nous laissa ce voyage à l'isle de France en 1803 et ses ravissantes lithographies. Des écrivains et des poètes... Bernardin de Saint Pierre qui dans le jardin **créé par Poivre, l'Intendant du Roi,** fit en vain la cour à sa ravissante épouse. Baudelaire qui découvrit sa Dame Créole (dont la fille Mademoiselle Autard de Bragard devait épouser Ferdinand de Lesseps) *« sous*

les palmiers d'où pleut sur les yeux la paresse... » Et d'autres encore !

Paul et Virginie ne pouvaient manquer d'être au rendez-vous de la légende et de l'histoire. L'avenue qui porte leur nom conduit au piédestal d'une statue élevée à la déesse Flore. Mais la légende détrôna la mythologie pour en faire la tombe de deux amants ! Des gamins astucieux, en quête d'argent, proposent même au visiteur de le conduire à « la véritable tombe de Paul et Virginie » à côté du Jardin ! Et escroquent parfois au naïf sentimental, de l'argent *« pour faire dire une messe pour le repos de l'âme de Paul et Virginie... »*

Bernardin de Saint Pierre, déçu dans ses amours, a peut-être suivi cette Allée des Soupirs où passent aujourd'hui après tant d'autres, les amoureux en quête de silence et de solitude.

« Quand le vent passe qui vient des champs voisins, les gaulis s'animent et l'on entend comme le gémissement d'une âme oubliée là, le bruit que font les grands bambous lentement agités... » C'est la description que donne le poète Léoville l'Homme de l'Allée des Soupirs.

Certains de ces arbres magnifiques, survivants de la violence des cyclones, sont contemporains de Pierre Poivre, l'intendant du Roi qui rêva de faire la fortune de l'île de France avec les épices des Indes. De ce rêve inachevé naquit l'un des plus beaux jardins du monde. Les grandes allées bordées de palmiers royaux conservent le souvenir des fêtes brillantes. Le 3 juillet 1897, une fête de nuit célébra le Jubilé de diamant de la Reine Victoria. On le rappela soixante-quinze ans plus tard, à son arrière-petite-fille la Reine Elizabeth, lors de la réception donnée en son honneur au Jardin.

Mais aucune des deux souveraines n'eut la chance de voir fleurir le talipot, ce célèbre palmier qui met 100 ans selon la légende (70 ans d'après les botanistes) pour fleurir. Et mourir...

L'Abbé Bonavita (1752-1833), aumônier de l'Empereur à Sainte Hélène, arriva à l'île Maurice en 1828 et mourut aux Pamplemousses où se trouve sa tombe qui est classée comme monument historique. Certains objets que lui avait donnés l'Empereur, dont une très belle montre en or, que ce dernier portait à Austerlitz, furent vendus à l'encan après sa mort. L'île Maurice compte toujours quelques fervents bonapartistes... On leur doit sans doute ces bouquets qui fleurissent la tombe et qui au-delà du vieil aumônier, honorent la mémoire du Grand Empereur...

le musée de mahebourg

L'ancienne résidence des commandants du quartier du Grand Port a été convertie en musée dont le rez-de-chaussée est consacré au combat naval de 1810. A l'étage des meubles et des porcelaines de la Compagnie des Indes, ainsi que des collections de gravures et de cartes anciennes. Les ruines de la sucrerie derrière les arbres à droite, et le cimetière des Robillard, les anciens propriétaires, de l'autre côté de la Rivière La Chaux, situent dans un contexte féodal cette demeure vieille de deux siècles, riches de souvenirs militaires et mondains.

Reconstitution au musée de la chambre à coucher de Mahé de Labourdonnais avec des meubles et des objets qui lui auraient appartenu. Le gouverneur général des Iles de France et de Bourbon habitait l'Hôtel du Gouvernement à Port Louis.

Le sabre d'abordage était avec la hache que lui préféraient certains, l'arme redoutée des corsaires.

Pistolet à tir... non rapide mais redoutable dans la main experte de Surcouf.

L'allée principale se prolongeait jadis jusqu'à la mer tandis que vergers et plantations couvraient de nombreux hectares au-delà de la rivière et de ce petit cimetière familial où reposent les commandants de quartier du Grand Port.

De la vieille sucrerie qui éteignit ses feux depuis longtemps déjà, seule demeure une cheminée qui évoque le passé d'une ancienne plantation. Les rires et les jeux des enfants... le papotage des vieilles nounous... les ordres des commandeurs... le grincement des lourdes charrettes de cannes à sucre. Et la nuit venue, la lumière et les échos des réceptions dans la grande maison tandis que de l'autre côté de la rivière, le rythme sourd du séga et les chants des noirs s'élèvent dans les ténèbres.

Jadis dîners et bals réunissaient là les riches planteurs du quartier, heureux de retrouver dans le punch au rhum et la danse, un dérivatif au labeur de la journée et aux soucis du métier. Beaucoup de souvenirs qu'évoque cette vieille bâtisse. Quelques tristes événements dont l'un particulièrement tragique cité dans le journal d'un chroniqueur.

Des souvenirs de gloire aussi et des gestes de courtoisie d'un autre siècle ainsi qu'en témoigne cette plaque, apposée aux murs de la chambre où furent soignés, après le combat du Grand Port, le chef de l'escadre française, le capitaine Duperré, et le capitaine anglais Willoughby.

Cette belle demeure qui est aujourd'hui un musée d'Etat, fut construite vers 1771, avec des bois indigènes coupés sur place. Il n'en manquait guère et l'on en usa d'abondance : les poutres énormes enchevêtrées dans les combles permettraient la construction complète d'une villa coloniale ! Depuis ces deux siècles bien révolus, on a remplacé seulement quelques solives de ces bois indigènes durs aux mandibules des termites auxquels les essences importées et le chêne d'Europe ne résistaient guère.

La concession de terrain accordée en 1771, porta d'abord le nom de « Mares Grandes » avant d'acquérir celui du cours qui la traverse et qui s'appelle la Rivière la Chaux. Ces terres appartenaient à Madame de la Granière qui les légua à sa filleule Gertrude Lejuge de Segrais, future épouse de Jean de Robillard, commandant du Quartier. On a souvent parlé de la beauté des créoles de l'île de France et rien n'illustre mieux cette réputation que la remarque du Gouverneur Guiran de la Brillane, ce militaire qui redoutait pour ses officiers la beauté des jeunes créoles.

Mais ses plaintes au ministre de la marine étaient aussi un hommage... « Messieurs de Courcy, commissaire de marine ; de Rochecouste, commis de la Compagnie, républicain et jamais content ; de Savournin, capitaine de grenadiers, épousent des filles de M. Le Conseiller Lejuge de Segrais. Et pensez donc, Monsieur le Ministre, Monsieur le Lejuge a encore trois filles à marier... » Ces sept jeunes filles auraient bien mérité d'avoir leur portrait dans ce musée historique !

Les reliques rassemblées dans la salle évoquent le glorieux combat où triompha l'escadre française. Gouvernail, boulets, canons, bouteilles, arrachés aux flancs des frégates anglaises qui avaient sombré, la **Magicienne** et le **Sirius**. Ce dernier navire avait participé à la bataille de Trafalgar avant de couler sous les boulets français à dix mille kilomètres des lieux qui virent la défaite napoléonienne.

C'est en 1933 qu'un ingénieur
anglais M. Austen, directeur
du port et des chemins de fer
à l'île Maurice, découvrit
les premiers vestiges du
combat du Grand Port dont
un certain nombre, tel ce
canon d'une des frégates
coulées, sont exposées
au Musée.

Le bouchon de liège de cette bouteille — est-ce du porto dont les Anglais étaient si friands!— n'a pas résisté à un séjour d'un siècle et quart sous les eaux.

Découverte en 1966 dans l'épave du navire, la cloche du Saint Géran avait sonné désespérément pour appeler les passagers sur le pont. Cette cloche subtilisée par des vendeurs de fonte qui l'avait fracassée à coup de masse, fut heureusement reconstituée. Elle appartient à la Société de l'Histoire de l'Ile Maurice qui l'a prêtée au musée.

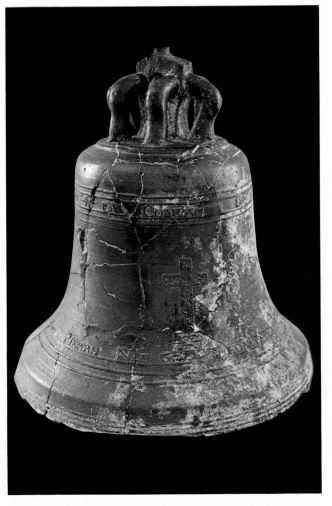

D'autres souvenirs anciens avec la reconstitution de la chambre de Labourdonnais avec les meubles et les objets qui lui appartenaient. On voit aussi un palanquin (qui n'est pas en ivoire comme celui que Labourdonnais aurait donné à sa femme ainsi que l'en accusaient certains de ses détracteurs). Des armes de l'époque corsaire : pistolet de Surcouf et sabres de corsaires. Un meuble secrétaire attire l'attention : il provient du navire **Kent,** dont la capture par Robert Surcouf est le plus célèbre exploit du roi des corsaires. A l'étage, de ravissantes estampes et des vieilles cartes hollandaises et françaises qui font rêver.

Deux cloches au rez-de-chaussée. L'une dit-on sonna la victoire de Marengo. L'autre prêtée par la Société de l'Histoire de Maurice évoque des souvenirs plus romanesques. C'est la cloche du Saint Géran retrouvée dans l'épave. Elle avait sonné désespérément pour appeler les passagers sur le pont quand le navire heurta les récifs au large de l'île d'Ambre. Et puis ses appels s'étaient perdus dans les flots refermés sur l'épave. Pendant plus de deux siècles.

La vieille demeure de la Rivière La Chaux avait une jumelle. Lejuge avait fait construire sur le même plan une maison dans sa propriété de Mongoust, tout près du Jardin des Pamplemousses. Lejuge était l'ami du Gouverneur David qu'il avait accompagné du Sénégal à l'île de France. Passionné de botanique, on lui doit l'introduction et la propagation à l'île de France de plusieurs arbres utiles ainsi que d'une espèce de cactus aussi appelée raquettes, dont la barrière d'épines redoutables protégeait les ouvrages militaires tels des barbelés.

le journal d'une aristocrate

Emilie Millon d'Ailly de Verneuil, arriva à l'île de France où son père s'était établi, quelques années avant la Révolution. En 1794 elle épousa un riche planteur, Henry Journel. En 1799 les Journel décidèrent de rentrer en France. Ils convertirent en marchandises les biens qu'ils avaient vendus et pour diminuer les risques de leur expédition, les répartirent sur cinq vaisseaux neutres à destination des ports danois et allemands. Après une odyssée aventureuse — et un détour qui les conduisit jusqu'à Boston en Amérique ! — les Journel arrivèrent en France l'année suivante pour apprendre que les quatre autres navires avaient été capturés par les Anglais...

Les cinq cahiers qui constituent l'autobiographie d'Emily Journel « Le Fond de mon tiroir », sont inédits pour le public puisqu'il en a été imprimé en 1940, seulement quelques exemplaires destinés à la famille. Un certain nombre de pages consacrées à l'île de France donnent un tableau intéressant et pittoresque de la vie dans la colonie. Années heureuses ou troublées où évoluaient des personnages qu'elle décrit d'une plume alerte. On lira plus loin les drôleries d'un corsaire, brave mais fruste, et la mésaventure arrivée au Général Comte de Malartic, l'un des derniers gouverneurs de l'île de France.

C'est en Octobre 1976, en Beaujolais, que la Comtesse Cazeau, l'une des arrière petites nièces d'Emily Journel, eut l'amabilité de nous présenter un exemplaire de ce Journal et de nous autoriser à en publier des extraits.

LE FOND DE MON TIROIR

Un octogénéraire pittoresque.

Parmi les passagers de l'*Orion* à bord duquel s'embarquèrent les Journel, se trouvait un personnage très pittoresque : Monsieur le Roux de Kermoseven, le plus grand propriétaire de l'île, qui à plus de 80 ans, n'avait jamais été marié et que l'abus des jouissances avait accablé d'infirmités. Ce vieillard presque impotent avait la prétention d'être jeune et gaillard encore et il se faisait hisser par un palan tous les jours de l'entrepont sur le tillac.

Assis dans son fauteuil, un chapeau sur son bonnet, il tenait depuis que Monsieur Lewis nous avait mis en état de guerre, un fusil entre les jambes. Dès que son fauteuil arrivait sur le pont, suspendu aux cordes du palan, dix noirs musiciens qu'il avait fait embarquer jouaient des fanfares ; ils en faisaient autant durant chacun de ses repas. C'était une de ses pompes à l'habitation de ne pouvoir manger sans musique ; il y avait en sus de cet orchestre, une douzaine d'odalisques gardées par des esclaves du genre de ceux du grand Sultan. Depuis le jour où nous fûmes poursuivis, (par une frégate anglaise) le pauvre homme ne se releva plus et il succomba le 35e jour du voyage. Cette mort nous valut plus d'un mois des scènes de revenants jouées par les domestiques pour faire peur aux femmes de chambre.

Une ruse de corsaire.

Mais l'*Orion* est poursuivie par une frégate anglaise et courant bord à bord, l'interroge. Le capitaine de l'*Orion* veut se faire passer pour Anglais ! « Les ennemis entendaient parler anglais à bord, les Français ayant défense de prononcer une parole. Pour rendre l'illusion plus complète, on fit monter sur la dunette les musiciens de M. de Kermoseven !

Ils avaient un uniforme rouge, galonné d'or et pou-vaient paraître les musiciens d'un régiment anglais qui serait à bord... M. Lewis avait embarqué beaucoup de Saicars, matelots indiens que leurs cabayes blanches pouvaient faire passer pour des cipayes. Les ennemis durent penser que c'était une expédition masquée de la part des Anglais. On leur dit qu'après dîner on enverrait chercher à leur bord ses papiers nouvelles *(newspapers)*. Ils déclinèrent l'honneur de cette visite, sur ce, qu'ils étaient partis d'Europe depuis si longtemps qu'ils n'avaient que de bien anciennes gazettes.

On fit servir ostensiblement le dîner. On montait des plats couverts et vides pour la plupart afin de simuler un nombreux état major. La musique allait un train d'enfer... Le soir on leur reparla encore, les prévenant qu'on allait allumer le fanal de poupe, afin qu'ils ne nous perdent pas de vue, attendu que nous nous faisions un honneur et un plaisir de leur servir d'escorte. Ils nous remercièrent très humblement, mais intrigués probablement de la tournure équivoque de notre langage, ils jugèrent à propos de profiter de notre fanal pour mieux nous éviter, et le lendemain, ils n'étaient plus en vue... »

Ruse digne de celle qu'avait jouée Robert Surcouf à bord de son bateau *la Clarisse* (14 canons et 140 hommes) quand il ne put éviter la frégate anglaise *Sybil* (56 canons et 622 hommes).

Maîtresse aimée.

Longtemps avant l'abolition de l'esclavage en 1835, des colons faisaient affranchir leurs esclaves qui devenaient libres. Madame Verneuil le fit pour Lindor et Atys. Contre leur gré puisque Atys protesta : *« Si je suis votre esclave, je ne dois pas vous quitter et si je suis mon maître, je veux aller avec vous... »*

L'affranchissement s'obtenait aussi par mariage. Les Blancs n'étaient pas les seuls propriétaires d'esclaves ainsi qu'on le relève dans les annonces d'affranchissement publiées dans les journaux.

par mariage : *Par Marie Louise Alcindor, femme de couleur, âgée de 22 ans, domiciliée au quartier de la la Rivière du Rempart en faveur de Jean Marie, créole, tabletier, âgé de 22 ans, son esclave.*

Par Seckmamode, indien, homme libre, en faveur de la nommée Marie Jeanne, indienne, âgée d'environ 30 ans.

Par Joseph Hector, créole, homme de couleur, libre, cuisinier, en faveur de Sophie Romaine, mozambique, âgée d'environ 29 ans, et de leur fils, nommé Pierre Nicolas, âgé de trois ans, tous deux ses esclaves.

Extraits de *la Nouvelle Gazette de Maurice* (1822)

SOUVENIRS DE L'ILE DE FRANCE

Le général de Malartic.

Les deux colonies de l'Ile de France et de Bourbon ont conservé un grand respect pour la mémoire de M. de Malartic qui, du temps du Direcoire, embrassa leur cause sans égard pour les conséquences que cela pouvait entraîner pour lui.

Il avait fait ses premières campagnes au Canada et il les racontait volontiers ; il était rare que les choses en apparence les plus étrangères ne lui procurassent pas, tant bien que mal, l'occasion de faire allusion au climat, aux événements et aux personnes de ce temps et de ces pays-là. C'était pourtant dans cette guerre qu'il avait reçu en pleine poitrine une balle qui l'avait renversé au sol sans le traverser après s'être aplatie contre un os. A l'ambulance, on lui donne une vingtaine de coups de bistouri et il en conserva une cicatrice extraordinaire qu'il se plaisait à montrer.

M. de Malartic était singulièrement accoutré ; ses vastes bottes à l'écuyère, ses genouillères, son surtout serré comme le fourreau d'une latte et son chapeau plat à bords galonnés le faisaient reconnaître de loin.

Une proclamation du général.

A la suite d'un mouvement que la baisse du papier monnaye avait provoqué parmi les *petits blancs* (2), le général eut l'idée de faire une proclamation. Il la dictait à son secrétaire et, comme de raison, il trouva le moyen d'y faire entrer les guerres du Canada. Il rappelait une circonstance désastreuse où les Français avaient pensé être battus. Sa compagnie était découragée et son sergent-major lui dit : « Lieutenant, nous sommes f... ». Le secrétaire tressaille et s'arrête. « Eh bien ! Monsieur, écrivez donc, c'est le style du troupier. — Oui, mais mon général, comme c'est vous qui parlez... — Non, Monsieur, je raconte et, en fait d'histoire, l'exactitude est un devoir sacré. — Oui, mais, mon général, dans une proclamation imprimée... Songez à la surprise... — Dans une proclamation comme ailleurs, je ne connais et ne dis que la vérité ! » Force fut au secrétaire de tracer le mot fatal, à l'impri-

(1) Mon Désir était l'une des plus importantes sucreries de l'île qui en comptait une douzaine.
(2) La classe inférieure des colons.

meur de le transcrire. On juge de l'amusement du public ! La proclamation tomba de plus d'une main, mais elle n'en a pas moins été déposée dans les archives du gouvernement de la colonie et de là dans celles du ministère de la marine en France.

Il y avait à la même époque à l'Ile de France un riche propriétaire nommé M..., fils d'un simple armateur de Saint-Malo, commandant autrefois d'un petit corsaire dont il ne parlait que comme d'un vaisseau à trois ponts. Il avait fait fortune sans avoir acquis, dans la bonne société qu'elle le mettait à portée de voir, ce que l'éducation n'avait pu lui donner. Il offrait un singulier mélange d'ostentation, d'originalité, d'ignorance. On avait fait un recueil de ses bévues et de ses bons mots et, comme il était mon voisin et que je le voyais beaucoup, j'aurais pu fournir des documents pour grossir l'ouvrage.

C'est lui qui fit graver sur son fusil : « Ex libris M... » et qui, donnant à dîner au chevalier de Fleury, colonel du régiment de l'Ile de France, s'écriait : « Qui m'aurait dit que j'aurais un jour à ma table le petit-fils du cardinal Fleury ! »

Ce fut devant ce même M. de Fleury qu'il répondit à quelqu'un qui lui demandait ce qu'il comptait faire de son fils aîné : « Si c'est un garçon d'esprit, je lui donne cinq cent mille francs et j'en fais un capitaine de vaisseau. Si ce n'est qu'un sot, je lui donne un coup de pied au c... et j'en fais un colonel ».

Il me décrivit un jour un combat qu'il avait soutenu sur son corsaire *l'Invincible* et, pour me peindre l'excès du carnage, le sang, me dit-il, « ruisselait par les sabords. — Juste ciel, dis-je en frémissant, que d'hommes égorgés ! — Pas un seul de blessé, belle dame, pas un seul de blessé ! »

Dans une fête qu'il donna au général Malartic, il imagina de faire suspendre au plafond de la salle une couronne de laurier, placée exactement au-dessus de l'endroit où l'illustre convive devait s'asseoir à souper. A la fin du repas, au moment de porter les toasts, il fit signe, en levant son verre, au noir caché derrière la cloison et qui devait, à point nommé, lâcher une ficelle qui laissait descendre la couronne sur la tête du général. Malheureusement, M. de Malartic avait la tête fort petite, proportionnée à son corps ; la couronne, beaucoup trop large, dépassa la tête. Le noir chargé du coup de théâtre, désolé de cet insuccès, tira de toutes ses forces la ficelle à lui pour faire remonter la couronne et n'aboutit qu'à tirer M. de Malartic comme avec un licou. « Mais finissez donc ! disait le général de sa voix grêle, vous allez m'étrangler, vous voulez donc me pendre ! » Tandis que M..., tout à son rôle d'amphitryon et le verre à la main, s'égosillait à répéter : « Vous l'avez bien mérité, mon général... Cela vous est bien dû... C'est l'expression de nos cœurs !... »

« Tous les étrangers qui viennent ici sont. frappés de l'aspect de nos montagnes. Irréelles, disent-ils, artificielles, visions martiennes ou lunaires... Ne perdons pas de vue que la montagne a toujours été un signe pour les hommes : Sinaï ou Golgotha... »
(Malcom de Chazal : Petrusmok)

Les plants de thé furent introduits à l'île Maurice par Pierre Poivre. L'île Maurice en produit cinq millions de kilos. Cinq kilos de feuilles vertes donnent un kilo de thé cuit.

Les larges pierres plates
qui parsèment le lit
des rivières ont servi à des
générations de lavandières
à « battre » le linge avec
une telle vigueur que
Mark Twain observa avec
humour : Ne savent-elles point
que le linge s'usera avant
la pierre !

*Cascade de Chamarel sur le cours
de la Rivière de Baie du Cap.*

« Il émerge paré d'écarlates
atours ;
« Il tache d'un sang vif
l'ombre des grandes plaines
« Et verse ses beautés à
tous les alentours. »
(Edgar Janson)

La plaine est une mer et
ses herbes d'or roux ondulent
sous le vent comme ondulent
les vagues. (R.E. Hart)

« Voici les charrettes qui
s'amènent ; ce sont les
« rouliers » du village.
« Kilé... kilé... ho ! »
(F. North Coombes :
Mes champs et mon moulin)

La culture des cacahuètes
fait partie de ce vaste effort
de diversification de
l'agriculture mauricienne
toujours très majoritairement
dépendante de la canne à sucre
et cela pour des raisons
évidentes dont la principale
est sa résistance aux cyclones
et aux intempéries.

La route qui fait le tour de ce volcan
depuis longtemps éteint
qui domine Curepipe
est très pittoresque.

Grattées et peignées, les feuilles d'aloès alimenteront l'usine qui fabrique les sacs pour l'expédition des sucres au port.

« Leur verdure est étale et recueillie, la brise n'étant pas levée qui lui soufflera ce qu'il faut susurrer au passant. »
(Selmour Ahnee : Fagots)

Derniers rayons d'un large soleil avant un orage capricieux qui éparpillera les fleurs du flamboyant en un linceul écarlate.
Le Morne s'attriste...

*Cet animal vit en société. J'en ai vu des troupes de plus
de soixante à la fois. Ils viennent souvent piller les habitations.
Ils placent des sentinelles au sommet des arbres et sur
la pointe des rochers...(Bernardin de Saint Pierre).
Les singes de l'île Maurice ont hérité des qualités
de leurs ancêtres de l'île de France! S'ils sont fort amusants
à observer, on déplore leurs déprédations : les oiseaux
en souffrent également car ils détruisent les nids.
Le singe fut introduit par les Portugais.*

*C'est dans la savane aux herbes blondes de la Rivière Noire
qui rappelle les plaines de l'Est Afrique, que les cerfs
sont le plus nombreux. On les chasse de juin à août :
quelque 2 000 bêtes sont abattues chaque année.
Le cerf (cervus rusa) a été introduit par les Hollandais de Java.*

*« Les cerfs en général vivent en troupeau. Ce sont
des moutons de Panurge; là où les premiers ont passé,
tous passent. Pareils à des girouettes, ils ont toujours le nez
au vent dans le but sans doute de flairer leurs ennemis. »
(Georges Antelme : La chasse aux cerfs à l'île Maurice)*

Un lourd fardeau de fourrage, lianes et herbes, pour les vaches du village.

Séjour à l'Ile Maurice, 1860. Gravure de J. Gauchaso.

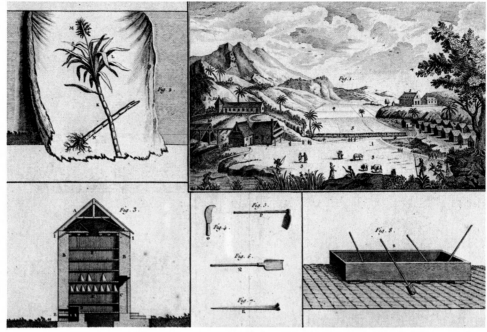

L'on mettait les cannes, pour en extraire le jus, dans les cylindres horizontaux ou verticaux, de ces moulins mus par traction humaine ou animale. Opération qui n'était pas toujours sans danger.
(Gravure de Durangas)

◁

Ensemble évocateur d'un lointain passé ou mijotait le destin de « La Perle sucrée de l'Océan Indien... »
(Gravure de Bernard Diracit)

C'est souvent le hasard qui détermine la vocation commerciale et politique d'un pays. La canne à sucre n'existait pas à Maurice et on peut se demander de quoi aurait vécu cette île qui en vit presque exclusivement, si les Hollandais ne l'avaient apportée de Batavia en 1639. Cet événement devait, au cours de deux siècles, donner à Maurice sa vocation sucrière et lui faire bien mériter l'appellation de « Perle sucrée de l'Océan Indien ». Si d'autres pays doivent leur fortune à des plantes introduites de diverses régions, il en est très peu dont les structures sociales et économiques auront été aussi profondément bouleversées. Les européens et les africains ces deux éléments essentiels de la colonisation dans les îles inhabitées de l'Océan Indien, furent subséquemment dominés par l'arrivée tardive et massive des Indiens dont les descendants représentent aujourd'hui 70 % de la population.

La Réunion, l'île Sœur, ne connut pas le même sort. Elle vint plus tard au sucre au cours de la première moitié du siècle dernier, après avoir connu la civilisation du café, selon les termes de l'historien Lougnon. Sans doute aussi parce que sa configuration géographique limitant la culture de la canne, n'amena point une immigration aussi massive et que beaucoup de travailleurs engagés repartirent chez eux. Les descendants de ces immigrants ne constituent aujourd'hui que 20 % de la population qui est au-dessous de 500 000 habitants alors que Maurice en compte plus de 900 000.

Les Hollandais construisirent deux usines, l'une au Grand Port et l'autre à Flacq, si l'on peut employer ce terme pour désigner les installations sommaires qui broyaient la canne à sucre dont l'épais sirop servait surtout, après fermentation, à la fabrication d'une eau de vie qu'on appelait l'*arack*. C'est en 1696 que l'on produisit du sucre pour la première fois. encore était-il très loin de ressembler à celui que nous consommons aujourd'hui.

C'est à Mahé de Labourdonnais que l'on doit la construction des deux premières sucreries, toujours rudimentaires mais certes plus évoluées que les « usines » hollandaises. Elles furent construites à peu près à la même date en 1745, l'une à Ferney au fond de la baie du Grand Port et l'autre à Villebague, dans ce quartier de Pamplemousses qu'habitait le Gouverneur Général. Il convient de rappeler que les moulins qui devaient l'améliorer se perdirent dans le naufrage du Saint Géran.

En 1755, l'île de France produisait assez de sucre pour la consommation des deux îles. A la fin de l'occupation française, les cannes de quelque 10 000 arpents (2 500 hectares) manipulées par une douzaine de sucreries, produisaient environ 3 000 tonnes de sucre. Le blocus britannique pendant les guerres de l'Empire avaient développé la production vivrière au détriment de la canne à sucre.

En 1825, quinze ans après l'occupation anglaise, 147 usines donnaient près de 11 000 tonnes de sucre et l'abolition des droits d'entrée sur le sucre mauricien en Angleterre où il était désavantagé par rapport au sucre des Antilles, stimula considérablement la production sucrière. A cette date, seulement 7 sucreries marchaient à la vapeur, 88 par la force hydraulique, 61 au moyen de manèges à mules ! En 1851 on relève toujours deux sucreries qui étaient actionnées par le vent...

259 usines, avec 110 000 arpents produisaient 133 000 tonnes de sucre en 1858 tandis qu'à la fin du siècle, la surface cultivée, après le défrichement intensif des forêts, atteint 190 000 tonnes avec 190 000 arpents — soit une moyenne d'une tonne de sucre à l'arpent — mais le nombre des sucreries, centralisées et perfectionnées, n'atteint même plus la centaine.

L'épidémie de fièvre malaria, arrivée de l'Inde avec un nouveau contingent d'immigrés, et qui avait éclaté en 1866, avait bouleversé les structures économiques et sociales. L'industrie sucrière dans son contexte artisanal de petite féodalité, va subir de profonds changements. L'exode des colons vers les hauts plateaux plus salubres, amène une première centralisation, plus fonctionnelle que technique. Cette dernière suivra rapidement.

Un nouveau boom sucrier après la première guerre mondiale porte la production à 260 000 tonnes en 1920. Un bond fantastique la fait atteindre 457 000 tonnes en 1950 (202 000 arpents sous culture) tandis qu'en 1923 elle atteint de chiffre record de 718 000 tonnes avec 207 000 arpents et seulement 21 sucreries.

Les progrès techniques auxquels les Mauriciens ont contribué très largement, apportés à la culture de la canne comme à la fabrication du sucre, ont changé rapidement le visage de l'industrie sucrière. Les chiffres suivants donnent un aperçu des progrès accomplis :

800 kg de sucre à l'hectare en 1801
1 000 kg en 1820 - 2 500 kg en 1858 - 4 080 kg en 1920
7 160 kg en 1950 - 8 890 kg en 1973

tandis que les rendements de canne à l'hectare suivent une ascension rapide et encore plus marquante depuis l'avènement du bull-dozer et l'épierrage des champs où la densité des pierres dans certaines régions était un défi au labeur de l'homme.

A l'exception d'un certain tonnage de sucre blanc et de sucre raffiné, la plus grosse partie de la production de sucre roux est exportée vers les raffineries européennes. Une partie des sous-produits est utilisée localement pour la distillation de rhum et d'alcool industriel tandis que les déchets de la canne, ou bagasse, servent à la fabrication de panneaux de particules.

Quelques étapes importantes ont jalonné l'histoire de l'industrie sucrière. La Chambre d'Agriculture a été créée en 1853 tandis que la recherche au sens le plus large du terme, débuta avec la station agronomique en 1893 qui aboutit finalement à la création d'un institut de recherche (M.I.S.R.I.) qui, comme l'industrie sucrière mauricienne, se situe au premier plan mondial.

Le Syndicat des Sucres fondé en 1919 s'occupe de la vente des sucres des producteurs alors qu'autrefois ces derniers en avaient la responsabilité. L'industrie sucrière a un bureau à Londres qui défend avec compétence, en étroite collaboration avec le gouvernement mauricien, les intérêts des producteurs.

L'île Maurice est membre de la Convention de Lomé depuis 1975, après avoir signé le protocole d'accord de l'ACP/CEE (convention entre les pays sucriers d'Afrique, des Caraïbes et du Pacifique et la Communauté Economique Européenne) qui lui garantit aussi un marché de 500 000 tonnes à un prix sensiblement égal à celui qui est payé au producteur européen tandis que le solde de la production est vendu au cours mondial.

Plusieurs organisations connexes à Maurice groupent et défendent les intérêts des usiniers et des planteurs où des petits producteurs, en majorité indo-mauriciens, sont très nombreux (32 000).

L'Université de Maurice continue aujourd'hui la formation des techniciens comme le faisait le Collège d'Agriculture où des étrangers s'inscrivaient aussi.

Aujourd'hui l'industrie sucrière, malgré le rôle important de la zone industrielle franche, demeure toujours l'élément essentiel de l'économie mauricienne. Elle est aussi le plus gros employeur de main d'œuvre.

Héritier de traditions séculaires acquises au cours de longues et dures épreuves, le technicien mauricien jouit d'une réputation qui le fait rechercher pour sa compétence dans de nombreux pays sucriers. On le retrouve à la Réunion, à Madagascar, en Afrique où il a été souvent le pionnier de la création ou du développement des plantations et des usines. En Inde, aux Antilles, en Australie et en Amérique du Sud.

Après tant d'épreuves, luttant contre toutes les formes de l'adversité, epidémies qui décimaient la population ou maladies qui dévastaient les plantations, cyclones, sécheresses et inondations (contre lesquels les assurances ne le protégeaient pas comme de nos jours), souvent victime de l'effondrement des cours ou des jeux de la politique, le planteur mauricien réussit la synthèse de l'homme d'action et du technicien. Il conserve la fierté de ses ancêtres paysans venus jadis de Bretagne et de Normandie, pour travailler souvent de leurs mains cette rude terre tropicale. Aujourd'hui maître de recherches et d'une technologie sophistiquée, il peut être fier de son œuvre et de faire produire, avec la précieuse collaboration des autres travailleurs des champs et d'usine, 700 000 tonnes de sucre à cette petite île de l'Océan Indien où le plus illustre de ses gouverneurs, Mahé de Labourdonnais, jeta les fondations de l'industrie sucrière.

La nature du terrain, ainsi que le souci de faire travailler le maximum de personnes, ne permet pas d'utiliser ces machines en usage dans bien d'autres pays. On s'oriente toutefois pour faire face à certains surprenants problèmes de main d'œuvre, vers une certaine mécanisation du chargement.

Le coupeur de cannes mauricien est d'une grande dextérité « Paysan il est, paysan il sera. Comme ses pareils du doux pays de France, ses efforts convergent vers un seul but : tirer le plus possible de sa terre. »
(Aunauth Beejadhur)

La récolte sucrière dure de juin à décembre et parfois le travail d'usine se poursuit jour et nuit. 259 sucreries en 1958 qui produisaient 133.000 tonnes de sucre tandis que 21 — dont la plus grosse est F.U.E.L. qui manipule plus de 800.000 tonnes de cannes ! — produisent près de 700.000 tonnes !
« Perle sucrée de l'Océan Indien... »
(Conrad)

Rose symphonie des champs de cannes en fleurs avant la récolte. Les fruits passeront-ils la promesse des fleurs, comme le dit le poète ?
Tout dépend de la saison affectée à divers degrés par les cyclones. la sécheresse ou des pluies trop abondantes.

« Et surgissent du passé tous ceux dont l'âme forgée d'aventure s'émut de ta grandeur,
Sentinelle au garde à vous devant l'infini... »
Unique dans sa splendeur, entouré de plages étincelantes, le Morne au sud·ouest de l'Ile, servit jadis de refuge aux noirs marrons.
La légende veut que des esclaves rebelles se méprirent, à l'abolition de l'esclavage, sur les intentions de ceux qui leur en apportaient
la nouvelle et·croyant leur retraite forcée, se jetèrent du haut de la montagne.

la mer

Le Pont Naturel, près de Souillac (gravure de Trichon) : « Le rocher qui forme pile et soutient les deux arches est continuellement miné par la mer ; un jour il s'écroulera et ne laissera à sa place qu'une large échancrure. On m'a dit qu'un Anglais l'avait traversé à cheval, mais je crois qu'on ne recommencerait pas impunément une pareille expérience. »
(A. Erny : Séjour à l'Ile Maurice - 1860/1)

C'est dans l'estuaire de Baie du Cap que le célèbre navigateur Mathew Flinders, de retour de son mémorable voyage d'exploration des côtes australiennes, aborda en 1803. Il resta en captivité à l'île de France pendant plusieurs années avant d'être libéré sur la promesse de ne pas porter les armes contre la France.

Les tortues de mer abondaient jadis sur les côtes. Cette charmante lithographie représente une pêche aux œufs de tortues vers 1840.

la pêche

L'été ce n'est pas seulement la saison des fleurs et des fruits à l'île Maurice. La mer est chaude et calme au large des lagons. Et l'œil exercé du pêcheur à la poursuite des gros poissons, guette ces bancs d'oiseaux, au ras des vagues, qui volètent au-dessus du gibier. Tels des chiens de mer...

Abondant et gros gibier qui attire chaque année pour des prouesse individuelles ou des concours internationaux, les amateurs de grosse pêche. Et de records ! Longtemps l'île Maurice détint celui du marlin bleu dont les 1100 livres ne s'inclinèrent que récemment devant un géant du Pacifique ! Il distance ici son cousin, le Marlin Noir, de quelques centaines de livres. On trouve aussi le Marlin à raies, beaucoup plus rare. La pêche au marlin, ce poisson qui se défend farouchement, parfois des heures durant, et fait des bonds spectaculaires hors de l'eau, est sans doute la plus fascinante. Mais les gros thons, surtout le jaune qui approche les 200 livres, livrent de terribles combats, que n'oublient pas les vainqueurs... Ensuite vient la cohorte d'autres redoutables jouteurs.. Le Wahoo ou bécune, la carangue, le barracuda ou tazar, la daurade, la bonite dont la meute ardente, semble faire bouillir la vague !

Et les requins ? Ce n'est pas le gibier préféré de l'amateur de grosse pêche, mais le mako (920 livres pour le record mauricien) est un dur ! On capture aussi le requin marteau, le requin blanc et plus rarement le requin tigre.

Le marlin qui livre un combat désespéré au pêcheur, a souvent un autre adversaire en même temps : c'est le requin toujours avide de profiter des circonstances ! En 1978 des marlins, ramenés déchiquetés par les squales, auraient dépassé les 1 000 livres, s'ils n'avaient été ainsi allégés par ces redoutables maraudeurs.

Mais le marlin, *l'empereur* qui mérite bien son nom, ou l'espadon, est le trophée le plus convoité. Le spécimen naturalisé qui valut à l'île Maurice son record, se trouve à l'hôtel de Trou aux Biches. C'est aussi le gros poisson le plus abondant : les navires japonais en ont capturé quelque 45 000 dans l'Océan Indien en 1975 !!! Pêche commerciale destructrice contre laquelle s'insurgent les amateurs de beau sport. Combien de champions morts ainsi misérablement, sans livrer le plus chevaleresque combat de la mer. Souvent, presque aussi épuisant pour le vainqueur que pour le vaincu...

Le visiteur rêve au « tout gros » ! Mais la petite pêche fait vivre plus d'un millier de pêcheurs : nasses ou casiers posés à l'intérieur du lagons ou sur les hauts fonds du large, riches en été de licornes, ces poissons cornus que le pêcheur appelle familièrement « *cornes* »... Que prend-t-on dans ces casiers en bambou tressé ou en fil de fer que le pêcheur de lagon retrouve dans l'eau irisée avec une facilité qui déconcerte le profane ? De petits « *cordonniers* » succulents mais agressifs (lui mordre la queue pour dissiper la piqûre douloureuse particulièrement quand la marée monte.. Encore faut-il éviter de se faire piquer au visage au cours de cette délicate manœuvre préconisée par les vieux !). Le *cordonnier* qui n'atteint même pas le kilo est un lutteur terrible quand on le pêche à la ligne de l'autre côté des récifs. D'autres poissons de casier et de petite ligne pour la table : *capitaines, gueules pavées, bretons, vieilles* de diverses appellations colorées, *cateaux* tandis que de l'autre côté des brisants le pêcheur professionnel ou l'amateur sportif, ramènera les beaux *croissants* (gare à celui qui a le croissant jaune au bout de la queue : il est vénéneux !), des *sacréchiens* remontés des grands fonds avec des yeux exorbités, des *vacoas*, des *lézards*... La petite pêche est aussi un délassement de week-end où dans l'eau tranquille des lagons, l'on oublie les soucis de la semaine en rêvant à la friture qui rôde autour de l'hameçon enrobé de tentations mortelles...

Le vendeur de poisson ou
banian — connu sous le
pittoresque nom d'accapareur
à l'île de la Réunion ! —
achète leurs prises aux
pêcheurs dont il finance
souvent les opérations avec
profit intéressant.

Les poissons du lagon ont des
noms pittoresques : pavillon
aux bandes multicolores...
vieilles *aux taches de rousseur...*
Dame Berry *à la robe légère...*
cateau *bleu ou vert.*

« Cimetières marins. Je connais celui de Souillac à l'île Maurice. De plein pied à l'onde mugissante ; dévastée du temps et des derniers cyclones, tant de noms encore vivants de l'île irrévocablement grattés de la mémoire du granit, la pierre écroulée par la fuite sous son poids du sable remué par les vents et par les raz de marée... »
(Camille de Rauville)

L'œil exercé du lanceur sait
reconnaître l'ombre
mouvante des poissons sur les
fonds d'algues et de sable.
« Les enfants des noirs
sont des soleils d'ébène... »
(Jean Georges Prosper)

« Chaque jour à midi, un homme silencieux, plein d'ombre, passe le porche de la marée et descend le long escalier du souvenir à pas lents jusqu'à la dernière marche de plein pied avec le temps... » (Loys Masson)

Ramassage du sel aux salines de la Rivière Noire. Un voyageur, A. Erny, rapporte qu'en 1861, on employait des chameaux pour transporter le sel... On cessa de le faire parce qu'ils effrayaient les chevaux.

Cocoteraie de l'Ile aux Bénitiers,
dans le lagon du Morne.
« Elle se berce au bruit
du flot qui la caresse
Et sous les cocotiers
s'endort au grand soleil... »
(Charles Baissac)

202

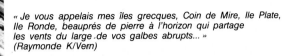

L'Ile Plate, où se trouve un phare, servait jadis de station de quarantaine. Elle est reliée à marée basse à l'îlot Gabriel.
▷

« Je vous appelais mes îles grecques, Coin de Mire, Ile Plate,
Ile Ronde, beauprés de pierre à l'horizon qui partage
les vents du large de vos galbes abrupts... »
(Raymonde K/Vern)

« L'Ile Ronde — petite île située au nord-est de Maurice à 14 milles —
est d'une superficie de 151 hectares. L'Ile Ronde est la patrie,
ou plus exactement je crois, le dernier refuge d'une petite faune
absolument unique au monde. Les éléments les plus intéressants de
cette faune sont incontestablement les reptiles et surtout les deux
espèces de serpents de la famille des Boas, qui par leurs caractères
archaïques rivalisent presque avec le fameux poisson coelacanthe. »
(Jean Vinson)

L'Ile Ronde, comme sa voisine plus petite, l'Ile aux Serpents,
est un sanctuaire d'oiseaux de mer. Elle est aussi la patrie de palmiers
indigènes, ou endémiques, dont le célèbre « palmier gargoulette »
subséquemment introduit à l'île Maurice.

Lézard de l'Ile Ronde.

« C'était l'heure où les oiseaux des îles reviennent de leur périple quotidien. Goélands et mandrins, frégates et mariannes emplissaient le ciel de leur rumeur nombreuse. Il en venait de toutes parts, par centaines, sans relâche, en immenses triangles, non point comme une chose naturelle, mais comme un miracle. Cela giclait, fouettait, trépignait, papillotait. Jamais je n'avais vu pareille presse d'ailes... »
(Marcel Cabon)

« O mer toi que je sens frémir
A travers la nuit creuse,
Comme le sein d'une amoureuse
Qui ne peut pas dormir... »
(J.P. Toulet)

Vous dont l'image ancienne
Captive encore mon cœur,
Ile voilée, ombres en fleurs,
Nuit océanienne...
(J.P. Toulet)

208

C'est sur les plages du Morne, au bord du merveilleux lagon d'où la vue s'étend sur les montagnes du Tamarin et de la Rivière Noire, que débuta le tourisme mauricien. C'était quelques années après la guerre. Les modestes bungalows ont cédé la place à deux hôtels luxueux qui se confondent avec les filaos et les cocotiers. En 1979 l'hôtellerie mauricienne dispose de 2.500 lits et accueille quelque 100.000 visiteurs annuellement. Et l'on ne se bouscule pas sur les cent kilomètres de plages mauriciennes ; c'est l'un des charmes les plus appréciés de ce tourisme tropical dont toutes les saisons sont clémentes.

Les lagons permettent de s'adonner en toute saison aux sports nautiques : yachting, planche à voile, ski, exploration des fonds coralliens, canotage et pêche. Les lagons occupent presque toute la circonférence de l'île avec quelques exceptions pour les côtes sud-est et nord-ouest.

La Baie du Grand Port, au fond de laquelle se trouve la ville de Mahebourg, est très appréciée par les amateurs de voile et de souvenirs historiques. Les Hollandais et les Français s'établirent au pied de la montagne du Lion. Le chef-lieu français fut ensuite transféré au Port Nord Ouest qui devint le Port Louis. Cette rade fut appelée Port Impérial durant l'Empire.

L'Ile aux Cerfs, sur la côte Est,
est un petit paradis. Du côté
des récifs, le vent du large pousse
les vagues à l'assaut des plages
tandis que sous le vent
« l'océan crispé se calme aux
bras ouverts des criques sinueuses. »
(Raymonde K/Vern)

Triton et bénitier. « L'appel hallucinant des destins de la mer dans les replis secrets de son cœur en volute... » (Joseph Le Roy)

Ils sont ravissants... mais leur piqûre est mortelle ! Le premier de ces cones est le Geographe (Conus Geographus) connu aussi sous le nom de Man Killer. Ensuite : Conus Marmoreus, Conus Textile, Conus Rattus, Conus Aulicus, Conus Tulipa.

Nautile (Nautilus) tandis que la fine dentelure du Murex trirenus lui a donné le nom de « peigne de Vénus ». Argonauta Argo appelé aussi Nautile papier ou Argonaute.

Plusieurs années de lente croissance au fond de la mer cristalline séparent ce gros Triton (Cymotium Tritonis) du petit.

Ces deux coquillages appartiennent à l'espèce des Spondyles. Il s'agit du Spondylus Aurantius (petit) et du Spondylus Varians.

(Collection Frédéric Decroizilles)

les coquillages

Les coquillages sont la parure des îles coralliennes. On en trouve quelque 2.000 espèces dans les lagons et à l'extérieur des récifs de l'île Maurice. Leur abondance en rend souvent la beauté banale tandis que la rareté de certaines espèces fait rêver les conchyliologues et les malacologistes. Ces mots compliqués désignent tout simplement les collectionneurs et les biologistes...

C'est pour éviter le ratissage systématique des lagons que la loi protège des espèces rares plus précieuses pour l'environnement que pour les vitrines des collectionneurs. Mais il reste suffisamment de coquillages pour faire le bonheur des touristes qui trouveront un grand choix de térèbres, casques, mitres, porcelaines, cônes, bénitiers et harpes dont la nacre translucide et colorée évoquera le voyage aux îles ! Bien plus longtemps que le hâle éphémère que donne l'ardent soleil...

Exquise géométrie des coloris... délicatesse des volutes... insolite des formes... transparence de la nacre. Un joli coquillage n'est-il pas, telle Aphrodite qui naquit de l'onde amère, un pur chef d'œuvre lentement élaboré dans le silence des abysses marins !

Certains coquillages comme la *harpe double (harpa costata)* ne se trouvent qu'à Maurice de même que le minuscule *épitonium bullatum* dont il existe seulement, paraît-il, trois ou quatre spécimens au monde et dont l'un se trouve à Maurice. La « coquille violette » *(lambis violacea)* se trouve aussi à Saint Brandon. On rencontre d'autres espèces rares dans diverses régions de l'Océan Indien.

Beautés mortelles, aussi fatales pour leurs admirateurs que l'était Antinea de l'Atlantide, serait-on tenté de dire de certains cônes : *Aulicus - Tulipa - Textile - Rattus - Harpe double (harpa costata) - Marmoreus* et *Geographus*. Ce dernier, le cône géographique, est un tueur célèbre : le spécimen exposé au British Museum, à Londres, est l'assassin de celui qui l'a ramassé ! Parmi d'autres exemples tragiques on cite celui d'un collectionneur qui, piqué sur les récifs en Australie, mourut avant d'atteindre le littoral, victime d'un venin aussi foudroyant que celui du plus dangereux serpent venimeux.. Ne jamais poser au creux de la main un cône que l'on n'a pas identifié. Cette précaution a sauvé bien des vies ! D'autres cônes sont extrêmement rares tels le *conus clystospira* dont on connaît une douzaine d'exemplaires dont l'un figure au museum de Port Louis.

Si certains coquillages comme d'autres espèces animales, sont victimes des lois inexorables qui amènent leur extinction, il leur arrive de causer à ceux qui s'y intéressent les mêmes émotions que donna le coelecanthe aux icthyologistes ! Ainsi certain *volute (voluta anna)* que l'on croyait éteint, existe toujours. La mer n'est-elle pas le refuge des derniers secrets de la planète ? Et tous les trésors des galions engloutis sont moins précieux que le minuscule coquillage que l'on croyait perdu à jamais...

La saison de grosse pêche
est l'été : de décembre
au début d'avril. Mais l'on
prend des gros poissons
pendant presque toute
l'année. Une nombreuse
flotille de bateaux pour
« la pêche au tout gros »,
parfaitement équipée, est
disponible en toute saison.

Le marlin bleu ou blue marlin
est le trophée le plus convoité
de la pêche au tout gros.
L'île Maurice détint longtemps
le record du monde et l'on
continue à capturer au large
de ses côtes, des géants
de 1000 livres et plus.
Mais le gros barracuda que l'on voit
ici est un lutteur terrible.

L'on peut s'inscrire à des clubs de plongée ou avoir recours
aux services de moniteurs qualifiés pour des plongées
à l'intérieur ou à l'extérieur des lagons. Paysages coralliens
et faune sous-marine de grand intérêt. La chasse sous-marine
est sévèrement réglementée.

les îles

Un certain nombre de petites îles éparses dans l'océan Indien sont les dépendances de l'île Maurice. Il convient d'en retrancher certaines comme Diego, située à quelque 2 000 kilomètres au nord-ouest de Maurice, qui, avec Péros Banhos et Salomon, constitue cet archipel des Chagos qui fait partie du B.I.O.T. (British Indian Ocean Territory ou territoires britanniques de l'océan Indien), dernier vestige colonial de l'ancien empire britannique. L'île Maurice avait donc vendu Diego à l'Angleterre qui l'a ensuite loué aux Américains. Cette opération plus stratégique que commerciale a permis aux Etats-Unis de créer une base aéronavale au cœur de l'océan Indien déjà sillonné par les navires russes. Ce merveilleux atoll ne connaît aujourd'hui que des touristes militaires.

Rodrigue, jadis dépendance, fait maintenant partie intégrante de l'île Maurice dont elle est l'une des circonscriptions électorales. Petite (100 kilomètres carrés) et pittoresque, située à 500 kilomètres à l'est, elle vit essentiellement de petite culture et d'élevage. Outre les communications maritimes régulières, Air Mauritius assure plusieurs liaisons hebdomadaires dont profitent hommes d'affaires et touristes. Les îles de Saint Brandon et d'Agaléga, situées dans le nord de Maurice sont essentiellement des bases de pêche. Elles produisent aussi du coprah, noix de coco desséchée dont on tire l'huile qui donna jadis à Agaléga le titre de Reine des Iles à huile ! Certaines îles comme Saint Brandon avec leurs innombrables oiseaux de mer, sont riches en guano, engrais phosphaté très recherché. Agaléga fut découverte par les Portugais au XVIe siècle, l'un de leurs navires s'appelait Galega.

Jusqu'à une date assez récente curé et magistrat faisaient la tournée annuelle des îles. Le premier confessait, baptisait les enfants illégitimes et légitimait les unions libres en mariant les couples. Le magistrat rendait la justice et ratifiait les sanctions prises par l'administrateur à qui était confié l'exercice de l'autorité.

Ces îles sont recouvertes de cocotiers qui donnent l'huile précieuse. La plupart de ces arbres poussent naturellement et pour les distinguer des plantations créées par l'homme, on les appelle pittoresquement « cocos bon dié » ou les cocos du bon Dieu !

Les atolls et les îles perdus dans l'immense océan font rêver les habitants des cités surpeuplées, plus amoureux de plages que d'histoire. Ces îles après que les cartographes les aient situées sur les portulans, n'ont eu d'autre histoire que celle de leur découverte et n'ont pas été jusqu'ici le litige de conflits sanglants. Les plus rapprochées de Madagascar reçurent sans doute la visite de pirates qui n'y trouvèrent ni richesses ni femmes indigènes. Des aventuriers des mers ou des corsaires au hasard de leurs courses lointaines, y firent escale ou naufrage, Et c'est bien longtemps après les abordages des guerres de la République et de l'Empire, que l'île Diego reçut la visite du plus redoutable des corsaires. C'était au début de la première Guerre Mondiale et ce corsaire s'appelait l'Emden. Et c'est parce que les îles comme les gens heureux, n'ont pas d'histoire, qu'il convient de relater deux événements. Une histoire de guerre et une histoire d'amour.

Quand le navire allemand arriva en vue de l'île Diego dont la baie profonde de 15 kilomètres, bordée de plages immenses, était délicieusement attirante après une rude croisière, le commandant de l'Emden eut recours à un subterfuge pour savoir si l'administrateur de Diego était au courant de la déclaration de guerre.

« Je suis parti, parti, parti
Au bout du monde,
au bout de la terre
Où repose Rodrigues,
cette terre d'ailleurs... »
(Lindsay Prosper)

A Rodrigues les oiseaux indigènes ont connu un sort encore plus cruel qu'à Maurice puisque sur onze espèces autochtones, neuf ont disparu : il ne reste plus que le cardinal jaune (Foudia flavicans) et la fauvette (Bebornis rodericana) dont le nombre est fort restreint. Les autres oiseaux ont été introduits. Les oiseaux de mer sont assez nombreux mais on n'y rencontre plus d'autres qui fréquentaient le littoral. Ainsi le paille en queue à brins blancs. Ci-contre : des goélettes blanches ou oiseaux de la Vierge.

Evitant de lui poser directement la question, il lui demanda :
— *Monsieur l'administrateur, savez-vous que le Pape est mort ?*
— *Mais non, Commandant.*

Et comme le pape était mort 15 jours avant la déclaration des hostilités, le commandant déduit que la nouvelle de la guerre n'était pas parvenue à Diego et ordonna le débarquement.

Il fut reçu avec la plus grande hospitalité et après un abondant ravitaillement en poisson et en noix de coco, il reprit la mer avec les vœux et les regrets des habitants. Très peu de temps après un navire de guerre arriva à toute vapeur dans la baie. C'était le croiseur australien *Sydney*.
— *Nous sommes à la poursuite d'un redoutable corsaire allemand, dit le commandant. Soyez sur vos gardes, il peut passer par ici d'un moment à l'autre...*
— *La guerre... L'Emden, bégaya l'administrateur. Mais... il a passé !*

C'est à l'île d'Agaléga, toujours déserte au début du siècle dernier, qu'eut lieu le dénouement tragique d'une aventure qui avait commencé à l'île de France.

Adélaïde d'Emmerez, âgée de 17 ans, était en séjour chez sa tante à Port Louis. Vie mondaine brillante dont voulait profiter la tante d'Adélaïde pour marier sa jolie nièce, mais cette dernière aimait un jeune homme qui vivait comme elle dans ce lointain quartier de Grand Port où résidait sa mère. Lorsqu'elle sut que cette dernière était souffrante, Adélaïde voulut retourner auprès d'elle tandis que sa tante s'y opposait. C'est alors qu'intervint un jeune capitaine, Roger Dufour, fils du célèbre corsaire Jean Dufour, de Saint-Malo. Cousin d'Adélaïde, il était jeune, riche et beau... Devant le désarroi de la jeune fille, il lui annonça qu'il partait le lendemain sur sa goélette *La Créole* pour le Grand Port et lui proposa de l'emmener. Adélaïde s'enfuit de chez sa tante et rejoignit son cousin à bord.

Mais voici qu'arrivée au nord de l'île, Dufour aperçoit une voile à l'horizon et Dufour reconnaît une corvette anglaise qui le prend en chasse ! Au bout de 48 heures il a semé l'Anglais mais il est loin maintenant de l'île de France et du Grand Port où Adélaïde devait arriver le soir même de son départ. Vents contraires. Le temps se gâte et Dufour fuit devant l'ouragan. Un soir, ballottée par les flots déchaînée, *La Créole* s'échoue sur la pointe nord de l'île d'Agaléga. Par miracle, le petit équipage et la passagère sont saufs. Adélaïde est désespérée..

Lorsque quelques jours plus tard, l'on découvre sur la plage le canot de *La Créole*, Dufour y dépêche ses hommes vers les Seychelles qu'il estime à quelques jours de distance dans le nord. Ils sont capturés par les Anglais, s'évadent, font naufrage à nouveau et sont finalement ramenés à l'île Bourbon d'où ils reviennent enfin à Port Louis en août 1808. Mais plusieurs mois s'étaient écoulés en vaine recherche après la disparition de la goélette. Jules Dilette, l'amoureux d'Adélaïde, avait disparu en mer au cours de recherches et la mère de la jeune fille était morte de maladie et de désespoir...

Et puis un beau jour l'on crée un établissement à l'île d'Agaléga et l'administrateur découvre deux squelettes. C'étaient ceux d'Adélaïde et du capitaine Dufour, morts d'épuisement et de misère dans l'île déserte.

Bien des années plus tard, un habitant découvrit une bouteille qui contenait des notes de la main de Dufour. On sut ainsi qu'Adélaïde était morte avant lui. *« Je suis le seul responsable de sa mort puisque c'est moi qui ai proposé le voyage. Mais je jure devant Dieu qui va me recevoir que cet ange de bonté et de vertu fut toujours respecté par moi ».*

Adélaïde d'Emmerez et Robert Dufour reposent côte à côte sous le même bloc de corail qui marque la tombe d'une ravissante créole et d'un beau marin de l'île de France. Héros d'une tragédie plus bouleversante dans sa réalité que le roman de Paul et Virginie.

Les îles... Ce n'est pas seulement d'immenses plages étincelantes au bord de lagons déserts. Mais aussi de tortues géantes que l'on voit paresser au soleil. Et des myriades d'oiseaux qui font la richesse des îles coralliennes en guano.

les aventures d'un huguenot aux mascareignes

« Enfin le moment de partir vint... Et après nous être
« recommandés à la Toute Puissance adorable à qui les
« vents et la mer obéissent, nous nous rembarquâmes
« dans notre pauvre galère le 21 de Mai MDCXCIII... »

François Leguat et ses compagnons vont quitter la
petite île Rodrigues dont ils étaient les seuls habitants
depuis deux ans. Mais les choses vont mal... un aviron
se brise... le frêle esquif est pris dans un courant
rapide. Et « *J'ose affirmer*, écrit Leguat, *qu'il n'y eut*
aucun de nous qui n'eut préféré un vent favorable à
toutes les belles femmes de l'Univers... » Heureusement
« *qu'un peu de frais s'éleva qui fécondé par notre au-*
tre rame, nous servit à parer justement l'écueil. » Et
quelques jours plus tard, le 29 mai 1693, Leguat et ses
six compagnons débarquèrent à l'île Mauritius, près
de la péninsule du Morne. Un épisode aventureux de
leur vie d'exilés en précédait un autre plus tragique
encore.

Leguat et ses compagnons étaient de ces Huguenots
français qui après la révocation de l'Edit de Nantes
en 1685, avaient fui leur patrie pour coloniser les îles
lointaines. L'île d'Eden, aujourd'hui la Réunion, était
le but de leur voyage. Mais ils n'y abordèrent pas et
atteignirent l'île Rodrigues, à quelque 300 milles dans
le nord-est. Elle était inhabitée.

Neuf Français, tout jeunes encore à l'exception de
Leguat, leur chef, un Bourguignon de 52 ans. Deux
ans passèrent dans l'île paradisiaque où vivaient
d'étranges oiseaux aujourd'hui disparus dont le Solitaire. Il y avait aussi d'innombrables tortues de mer.
Mais il n'est point de paradis sans femmes !

« Mais mes compagnons qui ne faisant encore
qu'entrer au Monde,
N'en connoissent pas le néant,
Crient qu'ils veulent des femmes.
Des femmes, disent-ils, l'unique joie de l'homme !
Et le chef d'œuvre du créateur ! »

Lassés de leur solitude et désespérant de revoir le
marquis Duquesne qui avait été l'organisateur de
l'expédition pour l'île d'Eden, ils construisirent une
barque et décidèrent de gagner l'île Mauritius qu'ils
atteignirent après huit jours d'un voyage hasardeux.
C'est à cause des femmes que ces hommes avaient
abandonné Rodrigues. « *Ils avaient donc préféré Chi-*
mène à... Rodrigues ! » Mais la narration de Leguat
fait un meilleur compliment aux vaches qu'aux filles
et aux femmes des colons de Mauritius : « *Je m'étais*
imaginé que mes compagnons dont les yeux étaient si
affamés de femmes, ne pourraient s'empêcher d'éclater
de joye la première fois qu'ils apercevraient quelques-
uns de ces aimables objets. Mais ils en furent moins

émus que de la vue des vaches...* » Chez ces Bourgui-
gnons le lait frais l'avait emporté sur ces trop opu-
lentes Hollandaises.

Bientôt l'hostilité du cruel gouverneur Deodati succéda
à l'accueil aimable des habitants. C'est un morceau
d'ambre gris rapporté de Rodrigues qui mit le feu aux
poudres. L'ambre qui est une sécrétion de la baleine,
se vendait alors au poids de l'or. Ils en furent brutalement dépossédés et cinq des voyageurs se retrouvèrent pendant trois ans en captivité sur l'île aux
Vaquois, l'un des rochers déserts qui ferment l'entrée
de la baie du Grand Port. Cinq ans de misère sur un
rocher sans aucune végétation, battu sans cesse par
la haute mer, à demi submergé par les tempêtes et
qui ne leur offrait comme refuge qu'une cave. Maigre-
ment ravitaillés par leurs géoliers, Leguat et ses amis
qui n'avaient pour compagnons que des oiseaux de
mer, estimaient avoir consommé quelque dix mille
œufs pendant leur capitivité...

En vain nagèrent-ils jusqu'à un vaisseau hollandais
qui avait jeté l'ancre dans le port. On écouta leurs
doléances — ce qui devait les sauver un jour — mais
ils furent reconduits à l'îlot. L'un d'eux voulut nager
jusqu'au rivage et disparut en cours de route. Un autre
parvint à terre et se terra dans les bois où rôdaient
les noirs marrons. Et puis un beau jour, Déodati les
libéra. Ils s'embarquèrent sur un vaisseau qui les
emmena d'abord à Batavia et se retrouvèrent finalement en Hollande... huit ans après leur départ pour
cette île d'Eden qu'ils n'avaient jamais atteinte.

C'est ainsi que se terminèrent les « *Voyages et Aven-*
tures de François Leguat et de ses compagnons en
deux îles désertes des Indes Orientales » ouvrage publié pour la première fois à Amsterdam, en 1708.

Enfin de retour en Europe, après tant d'années de
cruelles aventures, ce pieux Huguenot s'occupe
« délicieusement tout un jour à composer un cantique
d'actions de grâce et de bénédiction » qu'il ajouta à
son récit :

« Notre demeure a été un lieu rude
Notre habitation a été dans les trous des rochers...
Le sanguinaire oppresseur a poursuivi nos âmes...
Il a foulé aux pieds notre vie
Mais l'Eternel nous a délivrés, etc... »

Ce pieux Huguenot, rédacteur de cantiques et d'épî-
tres, sous la double inspiration de l'Eternel et de la
Muse, avait laissé pour l'information d'éventuels arri-
vants, un message dans une bouteille sur les rives
désertes de Rodrigues. Il commençait ainsi :
« *Cher aventurier, lis si tu veux, ce fragile et léger Mo-*
nument... » Il l'annotait : « *Fait au palais des Huit Rois*
de Rodrigues... »

LE SOLITAIRE

« Depuis le mois de mars jusqu'au mois de septembre ils sont extraordinairement gras et le goût en est excellent, surtout quand ils sont jeunes. On trouve des mâles qui pèsent jusques à quarante cinq livres.

La femelle est d'une beauté admirable, il y en a de blondes et de brunes. Elles ont une espèce de bandeau comme un bandeau de veuves au haut du bec qui est de couleur fanée. Une plume ne passe pas l'autre sur tout leur corps parce qu'elles ont un grand soin de les ajuster et de se polir avec le bec. Les plumes qui accompagnent les cuisses sont arrondies par le bout en coquilles ; et comme elles sont fort épaisses en cet endroit cela produit un agréable effet. Elles ont deux élévations sur le jabot, d'un plumage plus blanc que le reste et qui représente merveilleusement un beau sein de femme... »

Le Solitaire a disparu de Rodrigues. Comme le Dodo de Maurice et le Dodo blanc de la Réunion.

La gastronomie mauricienne a conservé ses traditions en s'ajustant aux goûts contemporains, et les menus offerts aux hôtes distingués furent aussi copieux et aussi raffinés que dans l'ancienne métropole. Bon sang ne saurait mentir! Nombreux furent ces menus qui furent confiés à la Flore Mauricienne, créée en 1848, qui est le doyen des restaurants de cette région de l'Océan Indien. Le menu offert à l'amiral Freemantie en 1879 fait honneur au distingué marin comme aux organisateurs du banquet. Et quels vins...

la gastronomie mauricienne

La gastronomie est un des éléments de la personnalité touristique d'un pays. La mer et les lagons qui fascinent le visiteur, lui offrent un exotisme culinaire abondant qu'il délaissera rarement pour les traditionnelles recettes européennes qui figurent aussi sur les cartes des restaurants mauriciens.

Langoustes que l'on appelle ici homards... crevettes... crabes... huîtres parfois belles, tandis que les rivières et les bassins d'élevage fournissent ces camarons succulents qui rappellent quelque peu les écrevisses.

Que le visiteur ne s'effarouche pas de ces poissons aux noms étranges, plus hauts en couleurs que ceux d'Europe et qui s'accommodent d'une gamme de recettes européennes, africaines ou asiatiques. Simple friture que l'on peut relever de safran et de jus de citron. Cuits au court bouillon ou à l'étouffée avec des fines herbes, agrémentées si on recherche le goût épicé, d'une pointe (légère !) de piment, de ces odorantes feuilles de « carripoullé » (orthographe imprécise !) que ne monopolise pas le traditionnel curry indien et de « quatre épices » qui comme le nom l'indique, combine la saveur de plusieurs épices. Gratin... Béchamel... Daube.

Voici les noms qui rebuteraient ceux qui les verraient sur la carte sans être prévenus : « *Sacré chien* »... « *gueule pavée dorée* »... « *vivaneau* » que l'on ramène des grands fonds, « *vacoas* »... « *vieilles rouges* »... « *vieilles la boue* » et plus bas dans cette grande famille, « *vieilles grises* ». Descendons aux « *cordonniers* » bien chaussés d'épines douloureuses pour le pêcheur imprudent. Délicieux en friture ou en curry... « *cateaux* » dont on fait de légères boulettes... « *mulets voilés* » - à ne pas confondre avec le décevant « *mulet sec* »... « *dame berry* » qui est une grande dame quand elle n'est pas maigre et « *capitaine* » quand il ne s'est pas repu d'un certain corail qui lui donne un goût désagréable.

« *Carangue* » et daurade en *vindaye* qui est une macération, après friture, au safran, aux petits oignons entiers crus et au piment. « *Rougets* » qui font d'excellents bouillons appelés ici à tort bouillabaisse. Gros crabes « *carlets* » à l'étouffée et distincts de ces petits crabes délicieux en curry avec des « *bringelles* » ou aubergines. N'oublions pas ces petits bigorneaux et ces « *tecs-tecs* » en bouillon solitaire ou complémentaire de poisson. Enfin pour terminer avec la mer, les « *ourites* » ou petits calamars, exquis en curry, daube ou gratin, mais dont la tendreté exige un battage prolongé avec la pierre de la « *roche a curry* », pierre qui sert à écraser les épices et le « *massala* » du curry indien.

Mais ici comme ailleurs les bons plats dépendent des bons cuisiniers. Repoussez ceux-là qui nagent dans l'huile... ou dans les sauces trop lourdes ou trop flottantes. Les curry épais, noirs et si pimentés qu'ils incendient le palais et empêchent de savourer les mets. Les estomacs européens s'accommodent mieux de curry au « *massala* » ou au safran sec, agrémenté de ce safran vert qui lui donne une couleur dorée. L'île Maurice est trop petite pour que l'on y découvre comme en France, ces bistrots inconnus, délicieux et pas chers ! Elle ne possède pas encore l'équivalent du Guide Michelin mais les bonnes adresses ne sont pas difficiles à trouver et les séjours en demi-pension à l'hôtel, vous laissent le choix d'un repas ailleurs.

Les mêmes remarques s'appliquent à la cuisine chinoise qui a ses artistes comme ses démolisseurs pressés de servir le client. De savants mélanges contradictoires (recettes aigres-douces) font apprécier les poissons et ce porc dont les Chinois sont friands. « *Fco yang* » ou omelettes aux crabes et aux crevettes... Poisson au gingembre et aux cœurs de bambous...

« Riz brouillé » mêlé de nombreux ingrédients... « chop sue » de porc... Poulet « Trois merveilles »... « mifoon » qui est un délicat vermicelle à la farine de riz agrémenté d'assaisonnements divers et de ces sauces chinoises étranges, préparées localement ou reçues de la Chine ancestrale, qui accompagnent la plupart des plats chinois. La soupe d'ailerons de requins qui a la consistance de fin vermicelle est un mets très fin. On n'en finirait pas de citer les recettes chinoises. Que boire avec ? Pas de grands vins ! Mais sauf exception pour quelques plats de viande, des vins blancs secs et légers comme le Muscadet, le Sylvaner ou le Macon. Néanmoins soyez vigilant pour l'étiquette ! Ou encore un Rosé de Provence... L'on termine le repas avec une petite tasse de thé vert qui est un bon digestif.

L'Inde nous fournit ses condiments pour ses délicieux curry (crustacés, poissons, viandes, volaille) où l'on retrouve avec les « massalas » diversement épicés, ail, coriandre, piment, cumin, anis, piment rouge, vert ou blanc « piment cabri », parfois du coco pilé et du tamarin. « Achards » de légumes ou de cœur de palmiste passés au safran et conservés à l'huile. « Chutneys » ou chatinis de tomates — appelées ici « pommes d'amour » ! — en purée avec gingembre, ail, piment, oignons. Chatinis de coco, de bringelle, de poisson salé et que l'on sert avec les plats qui accompagnent le riz traditionnel à petits ou à gros grains, que l'on apprécie également quand il est cuit avec du safran et des morceaux de viande : c'est le « pilaw ». Le « mulligatawny » ou « moulouktani » est un bouillon de curry qui se fait avec des petits crabes ou de la viande.

La cuisine africaine a sans doute moins de personnalité car le maïs et le mil traditionnel ne sont guère consommés à Maurice. Les grillades sont une spécialité internationale mais le « rougail » est délicieux. On y fait cui-

re dans une abondante sauce de pommes d'amour écrasée avec pelures et pépins, du poisson salé, ou de la viande de bœuf ou de porc, des saucisses ou du boudin. Le riz est souvent accompagné d'un bouillon de certaines plantes appelées « brèdes » : martin, chouchou, malabar, giraumon, cresson. Rien de plus délicieux que ces « songes », hachés avec ces minuscules crevettes de rivière. La gastronomie créole rejoint la poésie avec ces « songes » que voilà...

Le cerf que l'on tue en abondance à Maurice pendant le trimestre de juin à août, est un gibier excellent surtout au début de la saison. Rôtis chauds ou froids... daube, grillade ou en curry. Brochettes de foie... tripes en aspic, en gratin ou à la « mode de Caen », cuits avec les pieds découpés en carrés gélatineux... Fromages de tête... rognons de jeunes cerfs. Quant au sanglier mauricien, aux défenses et à la taille plus modestes que ses cousins africains ou européens, ce n'est qu'un porc domestique dont l'ancêtre a pris les bois depuis plusieurs siècles. C'est le « cochon marron » succulent en rôti et en « carré de cotes » cuites au four dont un restaurant de la côte ouest en fait une spécialité. Mais il est important, comme tout bon cochon qui se respecte, qu'il soit gras comme il l'est généralement quand les bois regorgent de goyaves dont il se nourrit ou quand il assouvit son appétit dans les champs de cannes à sucre en lisière de forêt.

Mais c'est sans doute le singe qui détient la palme de l'originalité d'une certaine cuisine créole. Il a beaucoup d'amateurs dans une section particulière de la population mauricienne. La kermesse qui suit un grand pélérinage religieux en août dans une région montagneuse de l'île, bat au restaurant en plein air, des records de recettes avec son fameux curry de « jacot » ou singe dont regorgent les bois avoisinants. Toutefois une cer-

taine pudeur condescendante envers nos frères inférieurs, supprime le mot singe sur le menu et le présente aux amateurs sous le nom de « *curry numéro deux* » pour le distinguer du curry de cerf ou de bœuf ! Vous n'en trouverez pas toutefois au menu des restaurants...

La palme de la délicatesse gastronomique revient au cœur de palmiste ou chou de palmiste : coupé cru en fines rondelles avec un peu d'huile vinaigrée pour faire de la salade — les Hollandais l'appréciaient déjà ! — Servi bouilli avec une sauce mousseline. Ou encore braisé, en gratin (on le goûte mieux tiède que brûlant !). En achards avec le riz.

Et les vins...

La gastronomie est incomplète sans le bon vin et nul ne peut contester aux grands vins de France une certaine spiritualité à laquelle on reste rarement indifférent. Mais hélas ! cette petite île autrement bénie des dieux n'ayant point de vignobles, il ne peut exister d'authentique vin mauricien ! En 1721 il est prescrit au gouverneur de Nyon « *d'empêcher sous quelque prétexte que ce puisse être les plantations de vigne dans l'île pour faire du vin, a la réserve de quelques treilles pour avoir du raisin* »... A la fin du siècle l'interdiction avait été levée mais celui qui avait créé un vignoble ne récolta que « *quatre barriques d'une affreuse piquette si exécrable que le malheureux propriétaire se garda bien de renouveler son essai* ». La tradition des vins de France est ancienne. Ainsi lit-on dans les vieux journaux de 1822 des annonces pour la vente de « *vins de qualité par douzaines de Haut Brion et de Lafite du millésime 1815* ». Annonces que l'on retrouvera souvent. Un chroniqueur rapporte qu'en 1823 on importa « *56 veltes de*

whisky, 430 barriques de vin ordinaire et 3475 douzaines de vin frais ». On boit plus de whisky aujourd'hui. Mais l'île Maurice importe des vins sud africains et de nombreux vins de France que les responsables du tourisme — comme les touristes et les Mauriciens ! — espèrent voir moins sévèrement taxés. Bordeaux et Bourgogne, Beaujolais et Côtes du Rhône, Alsace et Muscadet se trouvent sur les cartes des bons restaurants.

Comme en France et partout ailleurs, il est nécessaire de faire preuve de discernement dans le choix pour éviter qu'une médiocre bouteille, de fort belle étiquette, nuise à un bon repas. Les « *châteaux en Espagne* » ne sont pas le monopole de la péninsule ibérique tandis que le nom d'un négociant connu, un vin de bon millésime et de mise d'origine, évitent des déceptions. Les excellents poissons, crustacés et gibiers de l'île Maurice ne se plaisent qu'en bonne compagnie vineuse et les celliers de gastronomes et de certains restaurants mauriciens apportent la preuve de la bonne conservation des bons vins sous les tropiques mauriciens.

Précisons que le gourami est un gros et succulent poisson d'eau douce souvent à l'honneur aux banquets de jadis. Comme les perdreaux que des mangoustes introduites de l'Inde pour détruire les rats qui avaient menacé les débuts de la colonisation, détruisirent avec un appétit de gourmet...

Labourdonais aimait la bonne chère, les vins et le champagne : « par là : je n'ai que faire de vous recommander d'envoyer du meilleur... » 200 bouteilles de Champagne d'Epernay.. des caisses de Graves blanc et rouge, de Barsac, Muscat de Frontignan. Pas de Bourgogne encore ! Mais des truffes, du gruyère, des pots de cuisses d'oie. Et de la bière de Hollande en barriques ! Homme de guerre... homme de table !

Outre les crevettes, en appétissant bouquet, la gastronomie mauricienne s'enrichit de succulents crustacés d'eau douce – de rivière ou d'élevage – qu'on appelle camarons (palaemon lar) qui se marient admirablement au cœur du palmier pour en faire le chef d'œuvre de Lucullus : mayonnaise de camarons sur fond de palmiste...

cet ouvrage a été achevé d'imprimer
le 30 avril 1979
sur les presses de Arnoldo Mondadori à Vérone - Italie

Photogravure par Guido Zanella. Vérone - Italie